A Handbook for Writers
of Essays and Research Papers

英語論文・レポートの書き方

上村妙子・大井恭子——著

TOEFL materials are reprinted by permission of Educational Testing Service, the copyright owner. However, the test questions and any other testing information are provided in their entirety by Kenkyusha Limited. No endorsement of this publication by Educational Testing Service should be inferred.
TOEFL is a registered trademark of Educational Testing Service (ETS). This publication is not endorsed or approved by ETS.

はしがき

　現代は国際化の時代です。インターネットの普及により、外国がより身近な存在となり、海外との交流は極めて盛んになってきています。こうした時代の流れに伴い、「ライティング」は私たちにとってますます重要な技能となってきています。

　留学を目指す学生にとってライティングは不可欠です。まず留学前に受験しなければならない TOEFL® にはエッセイ（小論文）を書くセクションが設けられています。さらに留学先では、授業内外においておびただしい量のエッセイや論文が課されます。

　留学しない学生にとっても、ライティングは学習の一部として要求されてきています。近年の英語教育の改革により、日本の大学や高校でも、従来の和文英訳に代わり、パラグラフ・ライティングやエッセイ・ライティングの指導が行われるようになってきています。

　ビジネスの現場においても、海外との通信や交渉は E メールを通して行うことが多くなってきました。英文で企画書を作成したり、プレゼンテーション用の原稿を書く機会も以前に比べて格段に増えてきました。

　このように学校においても、ビジネスの現場においても、ライティングは必要不可欠な活動となっているのです。国際化というと、とかくスピーキングやリスニングのみがクローズアップされがちですが、ライティングも極めて重要な技能であることを再度確認する必要があります。

　さて、ここでさらに認識すべきことは、スピーキングやリスニングなどの技能と異なり、ライティングの力は「自然に身につくもの」ではなく、「学習が必要である」ということです（Grabe & Kaplan, 1996）。つまり、意欲的にかつ意識的に学習しなければ、ライティングの力を向上させることはできません。しかし、このことは逆に、海外での生活体験がなくても、日本の国内で学習を積み重ねることによってライティングの力は伸ばすことが可能であるということにもつながります。

はしがき

　本書は、ライティングの力を身につけたいと希望する学生やビジネス・パーソンなどを対象に、英語による論文・レポートの書き方に関わる一連の技法を詳しく解説したものです。単なるノウハウを紹介するのではなく、英語という言語の特性を説明し、また日本語と比較するなど理論面での解説も充実させました。理論的な知識を踏まえ、かつ実践的な技能を磨くという理論と実践の双方から、ライティングの力を伸ばしてほしいと願ったからです。本書を構成するに当たっては、語彙に始まり、文、パラグラフとエッセイ、さまざまな英文構成とレトリック、ライティングのプロセス、引用の仕方・参考文献の記載の仕方、リサーチペーパーの書き方、TOEFL®内のライティング・セクションについての解説まで、英文ライティングに関するさまざまな事項について詳しく説明し、さらに練習問題を適宜設けて、読者の皆様が自主的に学習できるように配慮しました。本書をじっくりと読んでいただければ、必ずや皆様のライティングの力は格段に向上するものと確信しております。

　本書は、私共が 1992 年に出版しその後事情により絶版になってしまった『レポートライティング』（日本英語教育協会）がもとになっていますが、執筆に当たっては大幅な加筆、修正を行いました。

　本書の刊行に至るまでには多くの方々のご助力をいただきました。研究社の杉本義則氏には本書の企画構成から原稿の校正に至るまでさまざまな面で大変お世話になりました。Kim Mary Sano 先生、Charles Muller 先生、Hazel Hakes 氏は本書のためにモデル文を書き下ろして下さいました。また、松本あずささん、横瀬喬哉さんを始め、私共の勤務校である専修大学、千葉大学の多くの学生がさまざまな資料を提供してくれました。お世話になりました皆様にこの場を借りて厚くお礼申し上げます。

2004 年 1 月

筆　者

目　次

はしがき　iii

第 1 章　ライティングの重要性　　1
1　国際化時代におけるライティングの重要性　2
2　深いレベルでのコミュニケーション　3
3　日本人によるライティングの問題点　4
4　盗用に対する注意　7
5　本書の構成　8

第 2 章　英語を書くための語彙　　11
1　英語の語彙の特色　12
2　ディノテーションとコノテーション　15
3　コロケーション　17
4　フォーマルな用法とくだけた用法　19
5　語彙を上手に使いこなす秘訣　21
6　アカデミックな文章を書くために　27

第 3 章　文をどう書くか　　29
1　日本人学習者が注意すべき英文の構造　30
2　客観的で明確な文を書く工夫　46
3　流れのある文を書く工夫　51

第 4 章　英語のパラグラフとエッセイの特徴　　61
1　直線的な論理と渦巻きの論理　62
2　パラグラフを書く際の基本的な態度　64
3　客観的な文章と主観的な文章　68

目次

    4　英語のパラグラフの構成　72
    5　英語のエッセイの構成　76

第5章　英語の文章のジャンルとレトリック　81

    1　物語文　82
    2　描写文　87
    3　比較・対照による説明文　93
    4　例証による説明文　101
    5　分類を表す説明文　105
    6　原因と結果を表す説明文　112
    7　過程を示す説明文　116
    8　論証文　122
    9　TOEFL® のライティング・テスト　132

第6章　ライティングのプロセス：資料収集から推敲まで　137

    1　資料収集の3ステップ　138
    2　図書館を活用しよう　143
    3　文献メモを作成すれば大変便利　147
    4　アイディアの発見法　150
    5　下書きを書く上での心構え12箇条　160
    6　推敲とは何か　162
    7　推敲の仕方　163
    8　推敲の実際　166

第7章　引用の仕方、参考文献のスタイル　173

    1　スタイル・マニュアル　174
    2　引用の仕方　175
    3　参考文献の記載の仕方　183
    4　パンクチュエーション・マークの使い方　197
    5　MLA、APAにしたがって書かれたサンプル　203

目　次

第 8 章　リサーチペーパーの書き方　207

 1　題名のつけ方　208
 2　要旨の書き方　209
 3　序論の書き方　211
 4　本論の書き方　218
 5　結論の書き方　222
 6　参考文献の書き方　225
 7　注の付け方　226
 8　補遺の示し方　227

英語で論文・レポートを書く時に役立つ参考書やウェブサイト　229
解答・日本語訳　235
参考文献　261

第 1 章

ライティングの重要性

第1章　ライティングの重要性

１　国際化時代におけるライティングの重要性

　近年、国際化が進みまたインターネットの普及により、海外との交流の機会は増え続けている。これに伴い、私たちの生活において、「英語で書く」という活動すなわち「ライティング」の必要性及び重要性はますます高まってきている。

　まず、留学について考えてみよう。アメリカやカナダなど英語圏の大学や大学院に留学を希望する場合は、TOEFL® (Test of English as a Foreign Language) と呼ばれる試験を受け、目指す学校が基準としている点数を突破しなければならない。近年コンピュータ化された TOEFL® では、それまで選択であったライティング・テストを、受験者全員が受けなくてはならないようになった。そのライティング・テストでは、英語で短い論文を書くことが要求されている。このエッセイで満足のゆく得点を得るためには、単に文法や語彙に誤りのない英文を書くだけでなく、論理的な英語の文章を書くという「ライティングの技能」を習得しておかなければならない(詳しくは第5章を参照)。

　外国に留学しない場合でも、インターネットを利用して海外の学生とEメールを書くことによって、自分の学校を紹介したり、特定のトピックについて意見を交換する機会も増えてきている。また、近年、従来の英作文教育に対する批判が高まり、日本の大学や高校でも、文法や語彙の習得に力点を置く和文英訳ではなく、まとまった文章を書くライティング技能の習得を目指した授業が行われてきている。こうした授業では、レポートや小論文が試験や課題として頻繁に出されている。

　ビジネスの現場でも、英文によるレポートの作成は、もはや専門家に任せておけばよいというような特殊なものではなく、一般的なものになりつつある。ビジネス上の連絡や交渉も、Eメールによって日常的に行われるようになってきている。英語によるプレゼンテーションを行う場も増え、プレゼンテーション用の原稿を書く必要に迫られるビジネスパーソンも多

くなってきている。ビジネスの現場においては、ライティングはもはやごく身近な存在となっているのである。

　このように、近年の国際化やITの発達により、学校においてもビジネスの現場においてもライティング技能は必要不可欠なものとなってきている。従来「英語によるコミュニケーション能力」というと、まずは「話せるようになること」すなわちスピーキングが偏重され、中でも英会話ができるようになることが急務であるかのように言われてきた。しかし、次節で述べるように、こうした考え方にはいくつかの点で問題があり、ライティングの意義をあらためて認識することは極めて重要なことである。

2　深いレベルでのコミュニケーション

　一般的には、英語によるコミュニケーション能力とは英会話ができる能力だと考えられている。しかし、日常の挨拶を始めとして、型のある決まり文句を使った会話がいくらうまくなったとしても、それは「浅いレベル」でのコミュニケーションができるようになるにすぎない。浅いレベルのコミュニケーションによって得られるのは、いわば単なる「知り合い」であって、「親友」や「同朋」を求めるのであれば、「深いレベルのコミュニケーション」が必要となってくる。自分の意思を相手に誤解のないように伝え、相手を説得し、相互に理解し合えるような深いレベルでのコミュニケーションを目ざすのであれば、日常英会話以上の技能を身につけなければならない。

　深いレベルでのコミュニケーションが行われる場面としては、以下のようなものが考えられる。

- 自分が調査・研究した内容を発表する。
- あるトピックについて、自分の見解や信念を主張する。
- 相手の意見に反論し、自説の正当性を納得させる。

　このような場面でのコミュニケーションは、単なる英会話をマスターす

るだけでは達成することはできない。そこでは、自分の考えを「発見し」、それを「論理的にまとめ」、「明確なことばで表現する」力をみがく批判的思考（critical thinking）が求められている。そして、このような深いレベルでのコミュニケーションを行うために養わなければならない技能こそが、「ライティング」なのである。（スピーチやディベートを除いて）会話などのスピーキングでは、流暢さは強調されるが、「内容」や「論理構成」はライティングほど求められていない。

　たとえば、Aさんから"Do you think we should say 'business people' instead of 'businessmen'?"と尋ねられた場合、会話であれば"Yes, I think so."と答えるだけでも会話は一応成立する。しかし、ライティングでは「どうしてそう思うのか」、「そう思う理由の背景にはどのような根拠があるのか」などについて筋道を立てて、ことばをつくしてAさんに説明していかなければならない。明らかに、ライティングの方が自分の考えをAさんに深いレベルで伝えることができると言えるだろう。

　このようにライティングはコミュニケーションにとって大変重要な技能であるが、日本人によるライティングにはいくつかの問題点がある。

3　日本人によるライティングの問題点

　日本人の書く英語の文章については、いくつかの問題点がこれまでに指摘されている。その中でも最も重大な問題は、「いったい何が言いたいのかよくわからない」という点である。その原因としては、文法の学習に重点を置いた和文英訳による英作文指導と日本語特有の文章表現の影響が考えられる。

（1）　和文英訳偏重主義

　日本では長い間「文法」を重視した英語教育（Grammar-Translation Method）が行われてきたため、「英作文」の指導は伝統的に文法事項の定着を目的とした「和文英訳」という形でなされてきた。沖原（1985）は「英

作文の指導と言えば、わが国では和文英訳を指している場合が圧倒的に多いであろう」と述べている。

和文英訳には、日本語と英語の違いを明確にするなど、それなりの意義は認められるものの、その弊害も見過ごすことはできない。最も深刻な弊害は、日本語での着想をそのまま英語に置き換えようとすることである。英語のレポートや論文を課題として与えられると、まず日本語で作文し、それを英語に直す学生がいる。でき上がった英作文は文法的にはかなり正確であるものの、内容の上では「いったい何が言いたいのか？」と問いただしたくなるような理解しがたい文章となっていることが多い。こうした学生は、日本語での着想をそのまま英語に置き換えただけで、でき上がった英語の文章はまさに「英語」という洋服を着た日本語的「作文」なのである。

それでは、英語の "composition", "essay" と日本語の「作文」、「エッセイ（随筆）」の間にはどのような違いがあるのか考えてみよう。

(2) "composition", "essay" 対「作文」、「エッセイ」

"Composition" は通常「作文」と訳されるが、厳密には英語の "composition" イコール日本語の「作文」とは言えない。日本の国語教育では、これまで「作文」というと「自分の感じたことを綴る感想文」を指すことが多かった。「夏休みにしたこと」や「遠足の思い出」など自分の体験を「私は...しました」という形で記す文章は、日本型作文の典型的な例である。また、読書感想文では、作品に対する論理的な分析や解釈は重視されておらず、「私は...を読んで...と感じました」という主観的で情緒的な思いを綴ることが期待されている。新聞紙上には「...賞」を獲得した小中高の生徒による日本語の作文がしばしば掲載されるが、これらの作文の多くは、ある本を読んでいかに自分が「感動した」かを、多彩な感覚・感情表現を用いて、綿々と綴ったものである。おまけに、日本語の「作文」ということばには、「文章として一応まとまってはいるが、内容、実質が伴わないもの」（『国語大辞典』）という比喩的な意味まで加わっており、マイナスのイメージが強い。

同じような違いは、英語の "essay" と日本語の「エッセイ」の間にも見

られる。「エッセイ」は「随筆」と訳されることが多いが、これら3つのことばは辞書では、以下のように定義されている(下線は筆者による)。

> **essay:** a short literary composition on a particular theme or subject, usually in prose and generally <u>analytic</u>, <u>speculative</u>, or <u>interpretative</u> (*Random House Webster's Unabridged Dictionary*)
> **エッセイ:** 形式にとらわれず、<u>個人的観点から物事を論じた散文</u>。また、<u>意の趣くままに感想・見聞</u>などをまとめた文章 (『大辞林』)
> **随筆:** <u>特定の形式をもたず</u>、<u>見聞</u>、<u>経験</u>、<u>感想</u>などを<u>気のむくままに筆にまかせて書きしるした文章</u> (『国語大辞典』)

これらの定義を見ても明らかなように、日本語の「エッセイ」や「随筆」は「特定の形式を持たずに」、作者の「個人的な」「経験」、「感想」、「見聞」などを「意の趣くまま」、「気のむくままに」記したものであるのに対し、英語のessayは「特定のテーマ」について自分が思索した内容を、分析的、客観的、論理的に説明しなければならないものである(以下、本書で「エッセイ」という場合、英語のessayの意味で使うものとする)。

以下に示したのは楳垣(1994)の日英語の類型化をもとに、英語と日本語の特性を対比したものである(楳垣、1994、p. 183の一部省略)。

(1) 考え方	(英)	自主的・合理的
	(日)	受容的・忍従的
(2) 中心点	(英)	主体の行為
	(日)	場面・雰囲気
(3) 表現原理	(英)	論理性・抽象性
	(日)	気分性・具体性
(4) 表現形式	(英)	遠心的・外交的
	(日)	求心的・内向的
(5) 表現性格	(英)	動的・積極的
	(日)	静的・消極的

上記の類型化の中で、(1)、(3)、(4)は英語の文章を書く場合において

日本人学習者が特に注意しなければならない点である。客観的で論理的な英語のパラグラフ・文章の書き方については、第4章で詳しく述べているのでそちらを熟読してほしい。

4　盗用に対する注意

　「客観的」な英語の文章を書くことに慣れていない学習者がおかしやすいのが盗用（plagiarism）である。先に示した日英語の対比における第3の違いは、英語は「論理性」が求められるのに対して、日本語は「気分性」がその特徴であるということであった。英語で文章を書く場合、自分の意見が単なる「気分的な」個人的思いつきではなく、他者の意見や見解を踏まえた上での主張であることを明確にすることによって「客観性」を示す必要がある。その際、肝に銘じておかなければならないのは、他者の主張を決して自分の意見と混同してはならないという基本的なルールである。

　著作権に厳しい欧米ではこのルールを侵すと、それは単なるミスに留まらず犯罪行為とみなされる。日本人学生はレポートや論文を課されると、どこかの書物をそのまま丸写しするか、さまざまな文献の一部を借用してそれをつなぎ合わせたパッチワークを提出することが多い。しかし、このような盗用は欧米では絶対に通用しない行為であり、もし盗用したことが判明した場合は、学生としての身分を失い、さらには人格まで疑われることにつながるケースもあることを肝に銘じておく必要がある。Corbett (1987) は、盗用に対し、次のように厳しい警告を発している。

> The academic community regards plagiarism as a very serious offense, punishable by a failing grade on the paper or a failing grade in the course or by dismissal from school. If you value your personal integrity and your status in school, you should resist the temptation to engage in this kind of intellectual dishonesty. 　(p. 184)
> 　（高等教育機関においては、盗用は極めて深刻な罪とみなされ、論文あるい

> は履修科目が不合格になったり、退学処分という処罰を受けることもありうる。もしあなたが人間としての誠実さと学校におけるあなたの身分を重視するのであれば、このような知識人としてはあるまじき不正行為を行おうとする誘惑に抵抗しなければならない)

　盗用を避けるためには、自分の意見と他人の意見を明確に区別する必要がある。他人の研究結果や意見に言及する仕方については、第7章と第8章で詳しく解説しているので参照してほしい。

5 本書の構成

　本書を執筆するに当たっては、英語でレポート・論文を書くために必要な理論と手法をわかりやすく、また詳しく解説することを目ざした。日本で英語を学んでいる学生だけでなく、海外への留学を目ざしている学生、すでに留学をしている学生、及びライティングの力を伸ばしたいと望んでいる社会人の方々など幅広い読者を想定して、読者がこの本で学んだ技能をできるだけ広く応用できるように配慮したつもりである。

　本書の構成は以下の通りである。

　第2章では、英語の「語彙」をさまざまな面から解説した。英語の語彙の歴史的な成り立ち、類義語に見られる微妙な意味の違い、コロケーション、スタイルの違いを解説した。

　第3章では「文」を扱い、日本人学習者が注意すべき英文の構造、客観的で明確な文を書くための工夫、次いで流れのある文を書くための工夫という順序で説明した。各項目では、概略的な説明を示した後、「トラブル・スポット」と称するコーナーを設け学習者がおかしやすい誤りを含んだ文を提示し、どのように書き直せばよいのかを具体的に示してある。また各種の練習問題を用意したので挑戦してほしい。

　第4章では、英語の「文章」の特徴及び構造について解説した。特に日本語の文章との対比から、英語の文章の持つ「直線的な論理構造」を具体的な例を示しながらわかりやすく説明した。英語で論文を書く際に最も基

本となる英語のパラグラフ及びエッセイの構造を詳しく述べているので、熟読してほしい。

　第5章は、第4章を発展させ、さまざまなタイプの英語の文章を詳しく検討した。物語文、描写文、説明文(比較・対照、例証、分類、原因と結果、過程)、論証文のそれぞれについて、モデル文を示した後、「レトリック」というセクションを設け、各タイプの英文を書く上での留意事項をまとめた。それぞれのタイプの文章について適宜自由英作文用のトピックを示したので是非チャレンジしてほしい。また、TOEFL®の一部門であるライティング・テストについて解説したセクションを設けた。このテストはかつてTWE®(Test of Written English)と呼ばれ選択制であったが、近年TOEFL®のStructure Sectionに組み込まれて、受験者すべてにとって必修となった。アメリカやカナダ等の英語圏に留学をするためには必ず受けなければならないエッセイ・ライティングのテストであるため、留学希望者は熟読してほしい。

　第6章は「ライティングのプロセス」を扱った。「ライティング」とは単に英文を書く作業だけを指すのではなく、アイディアを発見し、それをまとめ、英文で表現し、読み直して書き直す、という一連の行為の総体を意味する。この章ではライティングをプロセスとしてとらえ、そのプロセスを円滑に遂行する上で必要な手法を具体的に紹介した。また、図書館、インターネットを利用した資料の収集の仕方も解説した。

　第7章では、引用の仕方、参考文献の記載の仕方を、MLAスタイルとAPAスタイルの2つの方式にしたがって具体的に詳しく解説した。ことに英語圏では「盗用」は厳しく禁じられている行為なので、決められたルールにしたがって引用を行うのは書き手としての義務である。各スタイルの方式をマスターするまでは、論文作成のたびごとにこの章を参照して引用を行ったり、参考文献を作成していってほしい。

　最後の**第8章**では、リサーチ・ペーパー(研究論文)を扱った。リサーチ・ペーパーを構成する8つのセクションごとに、モデル文を示しながら、各セクションで達成すべき目的及び表現のサンプルを示した。リサーチ・ペーパーの作成にあたっては、高度なライティングの技能が要求される。

第 1 章　ライティングの重要性

リサーチ・ペーパーの作成は、ライティング学習の集大成と言えよう。

第 2 章

英語を書くための語彙

第2章　英語を書くための語彙

1　英語の語彙の特色

　私たちが、日本語を使う際には、用途に応じて語彙の中でも和語・漢語を使い分ける。和語で「静けさ」と言うのに対し漢語では「静寂」と言い、「かたち」に対し「形態」と言うように。つまり、自分の書こうとしているものが手紙文などの口語に近いものであれば、和語を多く用い、レポート、論文などの場合は堅い表現としての漢語の語彙を使う。同じように、英語においても語彙の使い分けが必要である。英語の語彙は大きく分けて、「ゲルマン系」と「ラテン系」の2系列の語彙がある。

(1)　英語の歴史

　なぜ英語の中に2系列の語彙があるのかということを知るために英語の歴史を概観してみよう。どのような起源を持つのかはっきりしない日本語と比べると、英語という言語は成立過程がよくわかっている。そもそもは、インド・ヨーロッパ祖語と呼ばれる共通の起源から発生した1つの派であるゲルマン語派に属する。このゲルマン語派の中には、英語のほか、ドイツ語、オランダ語、デンマーク語、スウェーデン語、ノルウェー語などが含まれる。つまり、今我々が言うところの「英語」を話す人々は、元来はヨーロッパ北部に住んでいたのであった。そして彼らは5世紀に現在の英国の中心部であるブリテン島に侵入し、先住民族であったケルト人（Celts）を追いやりこの国に住み着いた。これらの人々は、アングル族（Angles）、サクソン族（Saxons）、ジュート族（Jutes）からなっており、最初の2つの部族の名前をとって、これらの人々はアングロサクソン人（Anglo-Saxons）と呼ばれていた。また、3部族全体を指す Englisc と、住む場所という意味の land が一緒になって Engla-land つまり England ということばが生まれた。

　英語の語彙の中で最も基本となる語の多くは、アングロサクソン人が話していた Englisc に由来する。たとえば、man, woman, child, house, food, eat, drink, fight などである。

　6世紀の終わり頃、キリスト教がブリテン島にもたらされ、アングロサクソン人もキリスト教に改宗し、教会が建てられるようになった。教会で使われることばはラテン語なので、その後ラテン語起源のことばが英語の中に入って来た。たとえば、angel, bishop, candle, church, priest などである。

　英語史上大きな変化をもたらした一大事件が1066年のノルマン人（フランス北西部に住むフランス語を話す人々）のブリテン島征服である。ウィリアム征服王はヘイスティングの戦いに勝利し、イングランド全土を支配下におさめた。こうして、フランス語を話すノルマン系フランス人が支配階級となったために、英語の中にフランス語が急激にかつ大量に吸収されることになった。しかし、被支配者階級である農民たちは依然として英語を話していたため、英語の語彙の中に二重構造ができるようになった。たとえば農民たちは sheep や cow や swine（英語本来の語）を育て、城に住む上流階級の人々は調理されたもの、つまり mutton や beef や pork（フランス語系の語）を食べた。同様に、農民たちは sweat（汗をかく）し、上層階級の人々は perspire（発汗する）する。農民たちは eat するのに対し、貴族たちは dine する。

| 支配階級（ラテン系） | mutton | beef | pork | perspire | dine |
| 被支配者（ゲルマン系） | sheep | cow | swine | sweat | eat |

　このようにして、被支配者階級の使う英語本来の語（元をただすとゲルマン系の語）と支配者階級の使うフランス語由来の語（元をただすとラテン系の語）から成る二重構造が英語の語彙の中に存在するようになった。ここで大事なことは、ゲルマン系の語とラテン系の語がたとえ同じ物や事柄を指すのであっても、それぞれの語の持つ感情に訴える力や微妙な意味が異なっているということである。

（2）　レポート・論文にはラテン系語彙を使おう

　日本語において、和語ばかりを用いると稚拙な印象の文章になってしま

第 2 章　英語を書くための語彙

うので、論文やレポートなどでは漢語を用いることが多くなるのと同じように、英語においても語彙の使い分けが必要である。客観性と高尚さを出すためには、ラテン系の単語を多用することが望まれる。自分の使おうとしている語がゲルマン系なのかラテン系なのかを知るためには、辞書を引き、語源欄を見るのが一番正確な方法である。しかし、ある程度は直感と推測でわかることが多い。

　以下にゲルマン系とラテン系の語の対応表（表 1）を掲げるので、この両者の違いを感覚的に理解してほしい。

表 1　ゲルマン系の語とラテン系の語の比較

ゲルマン系		ラテン系	
ask	（尋ねる）	inquire	（尋問する）
build	（建てる）	construct	（建築する）
buy	（買う）	purchase	（購入する）
come back	（帰る）	return	（戻る）
deep	（深い）	profound	（深淵な）
eat	（食べる）	dine	（食事する）
get	（得る）	acquire	（獲得する）
give	（与える）	present	（贈呈する）
go away	（出かける）	depart	（出発する）
help	（助ける）	aid	（援助する）
hide	（隠す）	conceal	（隠匿する）
look at	（見る）	regard	（注視する）
sweat	（汗をかく）	perspire	（発汗する）
think	（考える）	consider	（考慮する）

　以上に述べた英語史からの事情により、英語の語彙の語源別構成は次のようになっている。

　　Old English（古英語）61.7%
　　French　　　（フランス語）30.9%

Latin　　　（ラテン語）　2.9%
その他　　　　　　　　　4.5%

2　ディノテーションとコノテーション

　前節で扱ったように、同じ物を指している2つの単語でも、それぞれの単語の語感が違う場合がある。辞書のレベルでの意味を「ディノテーション」(denotation) と言い、微妙な感じを含む意味を「コノテーション」(connotation) と言う。
　たとえば、同じ「安いドレス」と言う場合でも、cheap dress と言うと「価格のみならず品質も悪い」という意味になってしまうが、inexpensive dress と言うと、「価格のみが安い」という意味で伝わる。また、policeman というのは、中立な意味でその職業を表しているが、guardian of the law と言うと好意的な響きを持ち (positive connotation)、cop と言うとあまり好ましくない響きを持ち、pig という言い方をすると否定的な意味あいを持つ (negative connotation, unfavorable connotation)。
　また、あまりにも直接的な響きの語に関してはオブラートに包んで別の表現を使う。たとえば、die と言うよりは pass away を、toilet の代わりに bathroom, old people の代わりに senior citizen を使ったりする。このような遠回しの言い方を「婉曲話法」(euphemism) と言う。
　以下に示す表 (表2) は、ディノテーションは同一であるが、コノテーションが好ましくない (unfavorable)、中立 (neutral)、好意的 (favorable) と違う語を並べたものである。

表2　コノテーションの変化の例

Unfavorable	**Neutral**	**Favorable**	
legal murder	euthanasia	mercy killing	（安楽死）
birth control	contraception	family planning	（避妊）
spying	surveillance	intelligence	（諜報）

第2章　英語を書くための語彙

peddling	selling	marketing	（商売）
farting	flatulation	breaking wind	（放屁）
crazy	psychotic	mentally unbalanced	（精神異常の）
cancer	carcinoma	lingering illness	（癌）
soggy（day）	rainy（day）	misty（day）	（雨の）

（W. R. Winterowd, *The Contemporary Writer*, 1981）

　次の短い文章は、「否定的なコノテーション」（点線が引かれた語）と「好意的なコノテーション」（実線が引かれた語）をうまく使いこなし、女性を揶揄した「男性ビジネスマンと女性ビジネスマンの見分け方」というタイトルの滑稽な一文である。

　　A businessman is aggressive; a businesswoman is pushy. A businessman is good on detail, she is picky. ... He follows through: she does not know when to quit. He stands firm; she's hard. ... His judgments are her prejudice. He is a man of the world; she's been around. ... He isn't afraid to say what is on his mind; she's mouthy. He exercises authority diligently; she is power mad. He's close-mouthed; she is secretive. He climbed the ladder of success; she slept her way to the top.

（V. Fromkin and R. Rodman, *An Introduction to Language*, 1978）
（男性ビジネスマンは積極的であるが、女性ビジネスマンはでしゃばりである。男性ビジネスマンはこまかな点にもよく目が届くが、女性は重箱の隅をほじくるようなことをする。...男性はあくまで努力をつづけるが、女性はやめ時を知らない。男性は断固とした態度をとるが、女性は頑固である。...男性は判断するが、女性は偏見で決める。男性は経験豊かであるが、女性はすれっからしである。...男性は思ったことを恐れずに口にするが、女性はおしゃべりである。男性は権限をまじめに行使するが、女性は権力を振り回す。男性は口が堅いが、女性は秘密主義である。男性は成功の階段を登ったのだが、女性はベッドに上がることで出世したのである）

　類義語の中でも、こうした微妙なコノテーションに注意して、正しい語を選んで文を作る必要がある。

3　コロケーション

　私たちは「帽子をかぶる」、「靴をはく」、「着物をきる」というように、同じような動作であっても対象物の名詞により、それぞれ別の動詞を当てている。これは英語でも同じことで、take medicine（薬を飲む）、drink milk（牛乳を飲む）、eat soup（スープを飲む）のように、動詞を使い分けている。

　こうした関係は、名詞と形容詞の間にも存在する。たとえば、「厚い」という形容詞は、「厚い紙」、「厚い本」、「厚い感謝の念」、「手厚い看病」というように使うが、かといって「薄い看病」とは言えない。また、英語でも a beige car（ベージュ色の車）とは言えるが、beige hair（ベージュ色の髪）とは言えない。逆に、blond hair（金髪）とは言えても a blond car（金色の車）というものはない。

　こうした単語と単語との結びつきを「コロケーション」（collocation）と言う。語彙の学習ではコロケーションは非常に重要である。表3は「大きな」にあたる英語の形容詞、large, great, big, major が、どの名詞につくかを示したものである。

表3　「大きな」を意味する形容詞のコロケーションの例

	problem	amount	shame	man
large	?	○	×	○
great	○	○	○	○
big	○	○	×	○
major	○	?	×	×

（?ははっきりどちらとも言えない［questionable］ことを表す）
(M. McCarthy, *Vocabulary*, 1990)

　語と語の結びつきは言語によってさまざまである。それは言語により物事の分類の仕方が異なるからである。たとえば英語の to save には日本語

第2章　英語を書くための語彙

訳としては大きく分けて「節約する」と「救う」の2つが考えられ、それに対応してとる目的語も異なる。

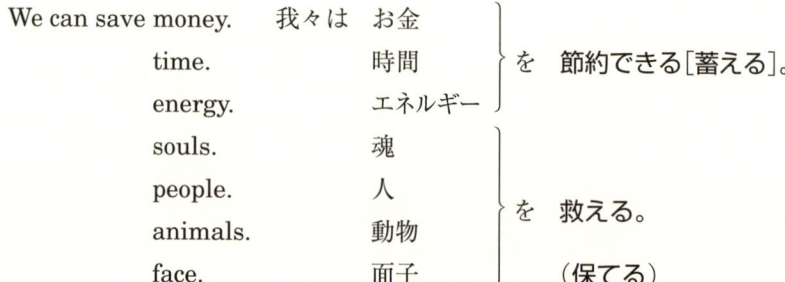

正しいコロケーションの知識を身につけるためには辞書の例文を丁寧に見ることである。また、普段から英語の文章を読む時、日本語と異なるコロケーションの例を目にしたら、書き留めるようにすることも1つの方策である。時間がある時には同じような意味を持つ単語を集め、次のような一覧表を辞書の用例を見ながら作ってみると、類義語の中でのそれぞれの差異に気がついて語彙力の一層の強化がはかれる。次の表は「傷つける」に相当する動詞とその目的語の組み合わせのコロケーションの例である。

表4　類義語の中でのコロケーションの例

	sb's car	a painting	the environment	one's health	sb's reputation	children	one's legs	sb's feelings	sb's pride	sb's speech	sb's enjoyment	sb's happiness
damage	+	+	+	+	+							
harm		(+)	+	+	+	+						
impair				+	+					+	+	
hurt					+	+	+	+				
injure				+	+	+						
mar				(+)	+						+	+
spoil		(+)	+	(+)		+					+	

（注：sb's = somebody's）

（I.S.P. Nation, *Teaching and Learning Vocabulary*, 1990）

4　フォーマルな用法とくだけた用法

次の (A) と (B) の文章を読み比べてみよう。どのような違いがあるだろうか。

(A)

　Now in the fall the trees were all bare and the roads were muddy. I rode to Gorizia from Udine on a *camion*. We passed other *camions* on the road and I looked at the country. The mulberry trees were bare and the fields were brown. There were wet dead leaves on the road from the rows of bare trees and men were working on the road, tamping stone in the ruts from piles of crushed stone along the side of the road between the trees. We saw the town with a mist over it that cut off the mountains. We crossed the river and I saw that it was running high. It had been raining in the mountains. We came into the town past the factories and then the houses and villas and I saw that many more houses had been hit. On a narrow street we passed a British Red Cross ambulance. The driver wore a cap and his face was thin and very tanned. I did not know him. I got down from the *camion* in the big square in front of the Town Major's house, the driver handed down my rucksack and I put it on and swung on the two musettes and walked to our villa. It did not feel like a homecoming.　　　　　(E. Hemingway, *A Farewell to Arms*)

(B)

　You [1)]don't know about me [2)]without you have read a book by the

第2章　英語を書くための語彙

> name of *The Adventures of Tom Sawyer*; but that ³⁾<u>ain't</u> no matter. That book was made by Mr. Mark Twain, and he told the truth, mainly. There ⁴⁾<u>was</u> things which he stretched, but mainly he told the truth. That is nothing. I never seen anybody but lied one time or another, without it was Aunt Polly, or the widow, or maybe Mary. Aunt Polly — Tom's Aunt Polly, she is — and Mary, and the Widow Douglas is all told about in that book, which is mostly a true book, with some stretchers, as I said before.
>
> 　Now the way that the book ⁵⁾<u>winds up</u> is this: ⁶⁾<u>Tom and me</u> found the money that the robbers hid in the cave, and it made us rich. We got six thousand dollars apiece — all gold. It was an awful sight of money when it was piled up. Well, Judge Thatcher he took it and put it out at interest, and it fetched us a dollar a day apiece all the year round — more than a ⁷⁾<u>body</u> could tell what to do with.
>
> 　　　　　　　　　　　　　　　(Mark Twain, *Huckleberry Finn*)

　両者ともアメリカ文学を代表する傑作であるが、(A) は「フォーマルな用法」(formal style) で、(B) は「くだけた用法」(informal style) で書かれている。一般的に言って、書きことばはフォーマルな用法で表すのが普通である。(B) がくだけた用法をとっているのは、主人公のハックルベリの口を借りて物語が語られているからである。そのために、くだけた用法である「口語的用法」(colloquial style) が随所に見られる。以下に、(B) の文章に見られる口語的用法のいくつかを指摘しておく。

1) **don't:** don't, isn't, hasn't, aren't などの簡縮形は口語的用法であり、書きことばでは避けたほうがいい。

2) **without:** 正しくは、unless である。Without をこのように接続詞として使うのは、方言の用法である。

3) **ain't:** doesn't や isn't の代わりに ain't を用いるのは、口語的用法を通り越して下品（vulgar）だというレッテルを貼られてしまう。この用法は、文法的に見ると非標準（non-standard）ということになり、

文章においては許されない用法である。
4) **was:** 文法的に正しくは were である。
5) **winds up:** 口語的なイディオムであり、フォーマルな用法であれば concludes になるところである。書きことばではこうした口語的なイディオムは避けるべきである。
6) **Tom and me:** 文法的に正しいのは Tom and I である。くだけた用法では時として主格の場合でも me が代用されることがある。これも非標準の用法である。
7) **body:** man のこと。これも口語的用法の表現である。

口語的かどうかということは、辞書の用法の表示を見ればわかる。英和辞典の多くは colloquial の表示を《略式》あるいは《口》で示している。英英辞典の多くは［Colloq.］で示しているのでそれを目安にする。

5 語彙を上手に使いこなす秘訣

ここでは、これまで学んだことをもとにして、語彙に関して実践的な問題に取り組んでみよう。まずは語彙増強の秘訣が Tips として提示されているので、それを頭に入れてから練習問題に取り組んでみよう。

Tip 1: 同一語を繰り返さない

英語の文章は、同じ語の繰り返しを嫌う。

たとえば、以下の文章では kind が何度も使われているが、これは英語の文章としてはふさわしくない。

> I met a very 1)kind woman yesterday. She listened to my complaints patiently. She was very 2)kind to me. I was very much impressed by her 3)kind suggestions. I would like to be such a 4)kind person when I grow up.

第2章 英語を書くための語彙

　同じことばを繰り返して用いてはならないとなったら、同意語・類義語を探さなくてはならない。その際、便利なのがシソーラス（類語辞典、thesaurus）である。シソーラスということばは、もともとギリシャ語で「知識などの宝庫」という意味である。確かに、シソーラスには、ことばの宝がぎっしり詰まっている。また、英語はそういう辞典が必要なほど、語彙が豊富にあるということでもある。

　英語のネイティブ・スピーカーにとっても文章を書く時には、シソーラスはなくてはならないものである。自分の表したい意味にぴったりのことばを探したり、同じ語の繰り返しを避けるための同意語や類義語を探すために、シソーラスを頻繁に使用する。シソーラスでいちばん古典的かつよく知られているのは、*Roget's International Thesaurus* である。

　では、*Roget's International Thesaurus* を例にとって、シソーラスの使い方を説明してみよう。まずこの辞典の後半部分にある Index のセクションで kind の項目を見てみる。すると *adj.*（形容詞）として、次のようにある。

> benevolent 938.13, forgiving 947.6, friendly 927.14, good 674.12, helpful 785.22, indulgent 759.8

　このうち、たとえば benevolent としての kind の同義語にどんなものがあるか見てみたいとすると、benevolent の後ろに書いてある 938.13 という数字に注目する。そしてシソーラスの前半部分でこの番号のところに行く。すると、次のような同義語が並んでいるので、自分の意味するところのものとぴったりする単語を選ぶ。

> kind, kindly, kindly-disposed, benign, benignant; good, nice, decent, gracious; kindhearted, warm, warmhearted, softhearted, tenderhearted, tender, loving, affectionate; sympathetic, sympathizing, compassionate; brotherly

　もちろん、その際、その語の意味がわかっていなかったらどうしようもないので、知らない語があったら英英辞典や英和辞典で調べてみなくては

ならない。

次に、kind の意味のうち、helpful 785.22 のところを引くと、次のようにある。

> 785.22 favorable, propitious, kind, kindly, kindly-disposed, well-disposed, well-affected, well-intentioned, well-meant, well-meaning; benevolent, beneficent, benign, benignant; friendly, amicable, neighborly; cooperative

ここに示されているようないろいろな単語を見た上で、p. 21 で見た文章を次のように変更すると、英文として質が上がる。

1) kind woman　　　→ warmhearted woman
2) kind　　　　　　→ compassionate
3) kind suggestions → well-meant suggestions
4) kind　　　　　　→ benevolent

> I met a very warmhearted woman yesterday. She listened to my complaints patiently. She was very compassionate to me. I was very much impressed by her well-meant suggestions. I would like to be such a benevolent person when I grow up.

こうした類義語間の細かな違いを知りたいと思ったら、類義語辞典にあたることが必要になってくる。

Tip 2: 形容詞を効果的に使おう

形容詞1つで文がかもし出す雰囲気が変わってくる。

「彼女はかわいい子だ」と言いたい時、She is *pretty*（かわいい）と言う場合と、She is *lovely*（愛らしい）と言う場合では違いが出てくる。同様に、「忙しい」と言いたい時でも、busy（多忙な）と hectic（てんてこまいの）では伝わってくる情景が異なる。このように形容詞選びは効果的な文を書くのに欠かせない。

第2章　英語を書くための語彙

1つ1つの単語の語義をよく知り、自分の表したいニュアンスに合う形容詞を選ぶことが大切である。

■形容詞の並べ方

何かを描写するため、いくつもの形容詞を並べる場合、闇雲にただ形容詞を羅列してよいというわけではない。たとえば、「木製の、新しい、大きな、丸い、きれいなテーブル」と言うためには、一番前につける冠詞以外に、large, wooden, new, round, pretty という形容詞をつけることになる。その並び方の順番は日本語では取り立ててルールはないが、英語ではきちんとしたルールがある。

つまり、次のようになっている。

> （×）a wooden, new, large, round, pretty table
> （○）a pretty, large, round, new, wooden table

英語の形容詞の並べ方としては、まずあるものを描写する際いかようにでも変わりうるその人の「意見」が先に置かれ、そのものの持つ「事実」が後ろの方に置かれるというのが一番の原則である。そして、その「事実」の中でも、形、色、材質など、並べる順序が決められている。以下はそれをまとめたものである。

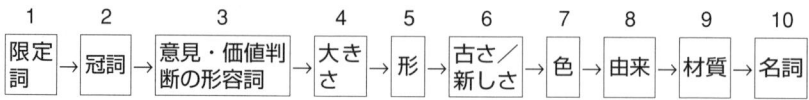

Most of the precious large round old dark European wooden tables
　1　　　 2　　　3　　　　4　　　5　　 6　　　7　　　8　　　　9　　　10
are very expensive.

Tip 3:　的確な動詞を使おう

日本語の動詞は、動作に対してある動詞をあて、その動作の詳しい様は副詞(擬態語が多い)で表すということが多い。それに対し、英語の場合は、さまざまな様子を表す動詞が1語で存在する。

5 語彙を上手に使いこなす秘訣

「歩く」を例にとってみると、日本語では「ブラブラ」「ドシンドシン」など副詞をつけることによってさまざまな歩く様子を表す。一方英語では ramble, tramp というように動詞自体にそうした意味がこめられている。

> WALK ＝歩く
> ramble ＝ walk leisurely ＝ ブラブラ歩く
> amble ＝ go at an amble ＝ 楽な歩調でのんびり歩く
> march ＝ walk in a direct purposeful manner ＝（隊列を組んで）行進する
> tramp ＝ walk heavily ＝ ドシンドシンと（重い足取りで）歩く
> trudge ＝ walk steadily and usually laboriously ＝（重い足取りで）とぼとぼ歩く
> stroll ＝ walk in a leisurely or idle manner ＝ ぶらつく、ブラブラ歩く

（例）　I saw an old lady walking through the park.
　　　（年老いた女の人が公園を歩いて通り抜けていくのを見た）
　　　→ I saw an old lady **trudging** through the park.
　　　（年老いた女の人が公園をとぼとぼ歩きながら通り抜けていくのを見た）

上記の例でもわかるように、異なる動詞をうまく使いこなすと、鮮明な印象の文章ができ上がる。

Exercise 1

I saw a movie yesterday. It was very **interesting**. と言う時の「面白い」という表現を次の語を用いて表現すると、意味のニュアンスはどのように違ってくるか、考えてみなさい。

1. It was **fascinating**.
2. It was **captivating**.
3. It was **intriguing**.
4. It was **enticing**.

第 2 章　英語を書くための語彙

5. It was **appealing**.
6. It was **catching**.
7. It was **worth-paying money**.
8. It was **thought-provoking**.
9. It was **stimulating**.
10. It was **provocative**.

Exercise 2

次の 3 つの形容詞を、意味の最も強いものから弱いものに順に並べ換えなさい。

1. big, gigantic, huge
2. small, tiny, microscopic
3. hot, warm, scorching
4. cold, cool, freezing
5. loud, noisy, ear-splitting
6. quiet, silent, hushed
7. bitter, angry, fiery
8. exalted, happy, beaming

Exercise 3

次の文の（　　）内の単語を正しい順序に並べ換えて正しい文にしなさい。

1. I have (pretty, new, American, toys, small, plastic, a lot of, colorful).
2. My mother bought me (ugly, pink, a(n), blouse, polyester).
3. Mike showed me (expensive, Italian, his, yellow, new, car).
4. I met a girl with (blond, long, beautiful, hair).

6　アカデミックな文章を書くために

　英語でレポートや論文を書く場合は、当然のことながらアカデミックな文章スタイルで書くことが求められる。アカデミックな文章スタイルにするためには、語彙の選択、語順など、以下の点に配慮することが必要になってくる。

① **動詞の選択**
　　句動詞（phrasal verb）の代わりにラテン語を起源とする動詞を選ぶ。
1. Researchers looked at the phenomenon carefully.
　　→ Researchers **observed** the phenomenon carefully.
2. The new system will cut down the cost.
　　→ The new system will **reduce** the cost.
3. The new discovery will get rid of the old faulty idea.
　　→ The new discovery will **eliminate** the old faulty idea.

② **短縮形を避ける**
1. The new technology won't show much improvement.
　　→ The new technology **will not** show much improvement.
2. We don't know the result yet.
　　→ We **do not** know the result yet.

③ **硬い否定形を使う**
　　たとえば、not much よりは little を、not many よりは few を使う。
1. They did not pay much attention to that incident.
　　→ They paid **little** attention to that incident.
2. They did not show any sign of improvement.
　　→ They showed **no** sign of improvement.
3. This technique does not present many applications.
　　→ This technique presents **few** applications.

第2章 英語を書くための語彙

④ 副詞を文の中に入れる

副詞を文頭ではなく文の中に入れるだけで、ずいぶん格調が高くなる。

1. <u>Soon</u> the problem will be settled.
   → The problem will **soon** be settled.
2. <u>However</u>, it will present some serious problems.
   → It will, **however**, present some serious problems.

⑤ 直接疑問文をあまり使わない

日本人が書く英文にはよく疑問文が出てくる。これらは次のように言い換えると、アカデミックな響きになる。

1. What can we do to combat this problem?
   → We **need to consider** what we can do to combat this problem.
2. What can we draw from this result?
   → We **now need to discuss** what we can draw from this result.

⑥ 会話体を持ち込まない

1. 下記のようなつなぎの言葉はライティングでは用いてはならない。
   - By the way（ところで）/ Well（そうですね）/ Anyway（とにかく）
2. 口語の発音によるつづりではなく、きちっと綴る。
   - wanna → want to / gonna → going to
3. very の意味で pretty や so を使うのは口語用法であるので、ライティングでは用いない。
   - pretty hard → very hard / so difficult → very difficult
4. 次のような代名詞の you の使用は避ける。
   - <u>You</u> can see the result in Table 1.
     → The result is presented in Table 1.
5. 以下のようなあいまいな言葉の使用は避ける。
   - something like / kind of / more or less
6. 文章表現にふさわしい強調語を使用する
   - for sure → surely
   - a lot   → very much あるいは great deal

第 3 章

文をどう書くか

第3章 文をどう書くか

考えを表現する最小の単位は「文」（sentence）であると言われる。この章では、どのような英文を書けば、自分の意図を読者に正しくかつ効果的に伝えることができるかを次の順序で考えてみる。
（1） 日本人学習者が注意すべき英文の構造
（2） 客観的で明確な文を書くための工夫
（3） 流れのある文を書くための工夫

1　日本人学習者が注意すべき英文の構造

　日本語と英語の構造上の違いは、日本人学習者にとって英文を書く際に感じる困難の一因となる。松井（1979）は、日英語の表現法を比較し、日本語の特色は物事を「包括的・感性的に把握すること」であり、このため、物事を「論理的・分析的」に理解して、主語と述語をはっきりと示した構文を用いて表現しようとする英語とは大きく異なっていると述べている。ここでは、このような日英語の違いから日本人学習者がおかしやすい構文上の問題点をいくつか説明してみよう。それぞれの項目では、概略を説明した後、「トラブル・スポット」というコーナーで誤りを含んだ例文をいくつか示すので、正解を考えてみてほしい。

（1）　自動詞と他動詞

　SVO（主語＋述語＋目的語）という語順を基本構文とする英語と異なり、日本語においては語順は比較的自由であり、構文に対する意識が薄く、このため、日本人学習者は自動詞、他動詞の区別に対する意識が低いと言われている。英文を書く上で、日本語で「〜を」をとらない場合は自動詞に、逆に「〜を」をとる場合は他動詞にというように、日本語での発想を単純に英語に当てはめてしまうことによる誤りは多い。

1 日本人学習者が注意すべき英文の構造

★トラブル・スポット

> 1. We discussed about some differences between English and Japanese.
>   （私たちは英語と日本語の違いについて話し合った）
> 2. She wanted to marry with that poor but talented musician.
>   （彼女はあの貧しいが才能のある音楽家と結婚したかった）
> 3. We entered to the Museum of Modern Art.
>   （私たちは現代美術館に入った）
> 4. He will graduate university in March.
>   （彼は3月に大学を卒業する）
> 5. You need to reply the letter at once.
>   （君はすぐ手紙に返事を書く必要がある）
> 6. We got the hospital at three o'clock.
>   （3時に病院に着いた）

1, 2, 3はいずれも日本語に引きずられて前置詞を挿入してしまったものである。Discuss, marry, enter はいずれも直接目的語をとる他動詞である。したがって、**1**は about を、**2**は with を、**3**は to を削除する。

4, 5, 6は逆に「自動詞＋前置詞」とすべきところを前置詞を落としてしまったものである。したがって、**4**は graduate from と、**5**は reply to と、**6**は got to と直す必要がある。

Exercise 1

次の各文を正しく直しなさい。

1. Mary divorced with John last May.
2. Many people say that I resemble to my father.
3. We plan to leave from Paris on May 10.
4. The teacher explained about how to grade the students' papers.
5. I dreamed my girlfriend every night.

第3章　文をどう書くか

（2）受動態

　自動詞と他動詞における混乱は、受動態の使い方における誤りにも通じる。日本語の「れる」、「られる」という助動詞は、受身、可能、尊敬、自発といったさまざまな意味を表し、また「せる」、「させる」という使役の助動詞とも結びついて混乱を引き起こしやすい。

★トラブル・スポット

1. I was rained on my way home from school.
（学校からの帰りに雨に<u>降られた</u>）
2. My sister was stolen her purse on the bus.
（妹はバスで財布を<u>盗まれた</u>）
3. I was remembered my childhood whenever I heard that song.
（あの歌を聞くといつも子供時代が<u>思い出された</u>）
4. I was worked from morning till night by my boss.
（私は朝から晩まで上司に<u>働かされた</u>）

　1と**2**は、いわゆる「被害の受身」と呼ばれる日本語特有の構文で、ある事態が起こったことにより話者が被った迷惑や悲しみなどの心情を表すものである。英語の受動態は、必ず「他動詞」の目的語を主語にして作るのに対し、日本語の受身は自動詞に「れる」、「られる」をつけて作ることができる。1はこの「降る」という日本語の自動詞を受身に使った構文に起因する誤りである。英語では、it という主語を立てて It rained on my way home from school. とするか、catch という他動詞を受動態にして I was caught in a rain on my way home from school. としなければならない。

　2は盗まれたものは「私の財布」であって「私」ではなく、Someone took my sister's purse on the bus. と他動詞構文にするか、My sister had her purse stolen on the bus. と have 構文で表さなければならない。

　3は「思い出される」という日本語の自発構文からの影響によるものと思われる。この場合は I recalled my childhood whenever I heard that song.

とすればよい。

4は「働かされた」という使役と受身が重なったものである。この場合は、My boss forced me to work from morning till night. とするか、受動態を使うのであれば、I was forced to work from morning till night. とすればよいだろう。あるいは force の代わりに使役動詞 make を使って、My boss made me work from morning till night. としてもよい。

Exercise 2

次の各文を正しく直しなさい。

1. When I was six years old, I was died by my mother.
2. Julie was stolen her passport on the plane.
3. I was felt her sadness when I saw her at her husband's funeral.
4. She was cried by her little baby all night long.
5. I was played the piano for eight hours every day by my father in order to become a pianist.

（3） 時　制

世界の言語には、話し手のいる現在の時点を基準にして、今のことを言っているのか、過去のことを言っているのか、あるいは未来のことを言っているのかによって、動詞の形を変化させる言語とそうでない言語がある。英語は前者にあたり、「現在・過去・未来」という「時制」に応じて動詞の形が変化する言語である。日本語も、「〜る＝現在」、「〜た＝過去」、「〜だろう＝未来」というように時制に対応していて英語と同じだと思いがちだが、実はそのような単純な図式は当てはまらない場合が多い。

★トラブル・スポット

1. Last night I watched a video before I go to bed.
   （昨晩寝る前にビデオを見た）
2. Let's discuss it together if he came tomorrow.

第3章 文をどう書くか

（明日彼が来たらそのことについて話し合おう）
3. Let's discuss it together if he will come tomorrow.
（明日彼が来たらそのことについて話し合おう）
4. I have visited New York three times when I was a college student.
（大学時代にニューヨークへ3回行ったことがある）
5. "Oh, I had an English exam tomorrow!"
（そうだ、明日英語の試験があったんだ）
6. I am knowing where my teacher is living.
（僕は先生が住んでいるところを知っているよ）

　1は、「昨晩」と過去のことを言っているのにもかかわらず、日本語では「昨晩、寝る前にビデオを見た」と「～る」という形をとるために、before I go to bed と現在形を使ってしまった例である。英語では、Last night で示された時制、すなわち過去形で時制を統一し、Last night I watched a video before I went to bed. としなければならない。

　2は1とは逆に、「明日」と未来のことを言っているのに、日本語の「～た」に引きずられ、came と過去形にしてしまった例である。

　日本語は、時制よりも、事態が完了しているか、完了していないかという「相（アスペクト）」と呼ばれる視点から時間の流れを把握する傾向が強い言語と言われている（藤田、2000）。したがって、1では過去のことを語っているのではあるが、「ビデオを見た」時点では「寝る」行為は完了していないので、「～る」形が用いられている。これに対し、2では、未来の事態について述べているが、「話し合う」時点ではすでに彼は来ていることになっており、「来る」という動作は完了している。このような場合、日本語では「～た」を用いる。

　英語では、未来の事態を表現する場合でも、if, after, when などの接続詞で始まる従属節の中の動詞は、現在形を用いることになっている。3は明日という未来のことを語っているので、従属節の中の動詞も未来形にしてしまった例である。したがって、2と3の正解は Let's discuss it together if he comes tomorrow. である。

34

4は「～したことがある」イコール「経験を表す現在完了形」と単純に理解してしまったことによる間違いである。現在完了は文字通り「現在」に至る軸で時間を眺める場合に使われる構文であり、「私は今までに3回ニューヨークを訪れたことがある」という内容であれば、I have visited New York three times. でよい。しかし when I was a college student という限定された過去のある期間における経験を表す場合は、過去形を用いなければならない。したがって、正解は I visited New York three times when I was a college student.

5の問題点は、「明日試験があったんだ」という日本語に影響されて、had と過去形を使ってしまったことである。この場合の「～た」は、物事をあらためて確かなものとして認識する時に用いられる「～た」である。「そうだ、明日は父の誕生日だった」、「どうもありがとうございました」、「ああ、驚いた」などは、いずれも事態を確実なものとして認識した時に用いられる「～た」である。このように、日本語の「～た」は単に過去の出来事に対応するだけでなく、さまざまな意味を表すので注意しなければならない。正解は Oh, I have an English exam tomorrow! である。

6は日本語の「～ている」に影響された例である。know, live は状態を表す動詞であり、ing による現在進行形にする必要はない。正解は I know where my teacher lives. である。もし I know where my teacher is living. とした場合は、先生の住所ではなく、先生が一時的に滞在しているところを意味する。

Exercise 3

次の各文を正しく直しなさい。

1. George has been to Japan twice when he worked for ABC Japan.
2. Let's get together when your wife got well.
3. Oh, I had a dentist's appointment tomorrow!
4. I forgot to turn off the TV before I go to work.
5. He is belonging to the baseball club. He is having more than four gloves.

第3章　文をどう書くか

（4）不定詞、動名詞及び that 節

　英語には、動詞によって後ろに不定詞を伴う構文、動名詞を伴う構文、及び that 節を伴う構文といったように異なる種類の構文がある。さらには、不定詞でも動名詞でもよい動詞、また不定詞と動名詞を使った場合では意味が異なってしまう動詞などさまざまだ。こうした構文をマスターするには、いろいろな動詞を使って、意識的に学習することが大切だ。不確かな場合は、辞書を引いて、どの構文をとる動詞なのかを確認しよう。

★トラブル・スポット

1. My brother enjoyed to play the guitar.
   （兄はギターを弾いて楽しんだ）
2. She promised coming to a Christmas party.
   （彼女はクリスマスパーティに来ることを約束した）
3. Please remember stopping at a cleaner's on your way home.
   （帰りがけに忘れずにクリーニング屋に寄ってきてね）
4. My English teacher suggested me to go to America to study.
   （英語の先生はアメリカに留学してはどうかと言った）
5. My father ordered me to not go out after 9 o'clock.
   （父は9時以降は外出しないようにと命じた）

　1 は My brother enjoyed playing the guitar. が正しい。Enjoy は後ろに動名詞をとる動詞。

　2 は、promise が不定詞を伴う動詞なので、正しくは She promised to come to a Christmas party. となる。

　3 は Don't forget to stop at a cleaner's on your way home. が正しい。remember は後ろに不定詞を伴った場合は、「忘れずに～する」という意味だが、動名詞が来ると「～したことを覚えている」という意味になる。

　4 は My English teacher suggested to me that I should go to America to study. が正しい。Suggest は、目的語をとる場合は、「suggest to ＋人＋ that 人＋ should ＋動詞（あるいは動詞の原型）」というパターンをとる。

目的語がない場合は、動名詞を伴う。

5 は My father ordered me not to go out after 9 o'clock. が正しい。不定詞の内容を否定する場合は、not は to のすぐ前に置く。My father did not order me to go out after 9 o'clock. では、「父は私に9時以降外出するようにとは命令しなかった」の意味になってしまう。

以下にいくつかの注意すべき構文をあげるので、それぞれの動詞がどのパターンをとるのか確認してほしい。

① 動詞 + 不定詞の型

1. I plan to go to Europe during Christmas holidays.
2. We decided to get married in Karuizawa in September.
3. We hope to see you again.

《この型に属する動詞》

agree, ask, beg, claim, expect, manage, mean, need, offer, pretend, promise, refuse, wait, want, wish など

② 動詞 + 名詞（代名詞）+ 不定詞の型

1. I advised my brother to study harder.
2. The teacher did not encourage me to pursue my dream.
3. The policeman warned me not to drive too fast in winter.

この構文の場合、名詞で示された人物が不定詞で表された行動をとる。たとえば、1 では study harder するのは my brother である。否定に関しては、本動詞を否定する場合（たとえば2の encourage）は、その動詞の前に not を置く。これに対し、3のように、「～しないように」と不定詞が表す行為を否定する場合は、to の前に not を置く。

《この型に属する動詞》

allow, ask, command, convince, expect, instruct, order, persuade, promise, remind, require, tell, urge, want, warn, would like など

③ 動詞 + 動名詞の型

1. My father quit smoking last year.
2. The professor finished preparing his speech for the conference.

3. Do you mind my sitting here?
　主語と動名詞が示す行為を行う人物が異なる場合は、その動名詞の前に名詞（あるいは代名詞）の所有格を置く。3 は sit するのは「私」なので、所有格の my を入れる。

《この型に属する動詞》

admit, appreciate, avoid, deny, discuss, imagine, miss, postpone, practice, put off, recall, resist, suggest, tolerate

④ **動詞＋不定詞、動詞＋動名詞どちらの型もとるもの**

1a.　Canadians like to ski in winter.
1b.　Canadians like skiing in winter.
2a.　He began to study French.
2b.　He began studying French.

　like や begin といった動詞は不定詞、動名詞どちらをもとることができる。

《この型に属する動詞》

cannot stand, continue, hate, love, start

　しかし、動詞によっては、不定詞をとった場合と動名詞をとった場合では意味が大幅に変ってしまうものがあるので注意したい（トラブル・スポットの 3 番参照、p.36）。

1a.　I will never forget to attend your wedding next year.
　　　（来年のあなたの結婚式には、忘れずに出席するわ）
1b.　I will never forget attending Joe's birthday party last year.
　　　（昨年ジョーの誕生日会に出席したことは、決して忘れないわ）
2a.　I stopped to help old men cross the street.
　　　（私は老人が通りを渡るのを助けるために、立ち止まった）
2b.　I stopped helping old ladies cross the street.
　　　（私は老婦人が通りを渡るのを助けるのはもはや止めた）
3a.　She tried jogging for an hour every morning.
　　　（彼女は実際に毎朝 1 時間ジョギングをしてみた）
3b.　She tried to walk 3 kilometers every morning.

（彼女は毎朝3キロ歩こうと頑張ったが、うまくいかなかった）

⑤ that 節をとる型

1. The students argued that school uniforms were not necessary.
（生徒たちは制服はいらないと主張した）
2. He told me that he would go to the dentist next Tuesday.
（彼は来週歯医者に行くと私に言った）
3. My husband insisted that we should buy a house in the suburbs of Tokyo.
（夫は是非東京の郊外に家を買おうと言い張った）

このパターンの構文では、that 節内の動詞の時制に注意する必要がある。

1 は主節の動詞 argue が過去形なので、that 節の中の be 動詞も過去形に統一する。

2 はいわゆる間接話法に当たるが、tell のような伝達動詞を用いる場合は、これに伴う that 節内の動詞及び助動詞の時制に気をつけたい。2 の that 節の意味内容は未来を指すが、主節の動詞が told と過去なので、will go ではなく would go としなければならない。

3 に示したように insist の後ろに that 節を伴う場合は、that 節の中の動詞は「should＋動詞の原形」の形にするか、あるいはアメリカ英語の場合は「動詞の原形」を用いる。この類の動詞は、insist, suggest, request など、主張、要求、命令など相手に話者が間接的、直接的に働きかけ、話者の意図に沿った行動をとるよう促すという性質がある。

《この型に属する動詞》

acknowledge, agree, answer, assume, believe, claim, comment, decide, deny, determine, discover, expect, explain, fear, feel, forget, guess, hear, hope, imagine, imply, indicate, inform, know, learn, maintain, mention, note, notice, promise, protest, prove, realize, remember, say, sense, shout, state, suppose, suspect, teach, think, trust, understand, write

※次の動詞については、後ろに来る that 節の中の動詞を「should＋動詞の原形」あるいは「動詞の原形」にする。

advise, arrange, ask, demand, insist, order, recommend, request, suggest, urge

Exercise 4

（　　）内の動詞を適切な形にしなさい。

1. I argued with her last week, so I avoided (see) her.
2. It took a lot of time to convince my father (go) on a trip to Europe with us.
3. A customs inspector required that we (open) every piece of our luggage.
4. My husband decided (not attend) the conference after all.
5. Steve promised his mother that he (not do) it again.
6. I am sorry, but I've forgotten (bring) your book that you lent to me.

（5）主語と動詞の一致

日本語では主語が単数であるか複数であるかによって動詞の形が変化することはないので、英語を書く場合も動詞の形に注意を払うことを怠りがちである。しかし、英語では主語に応じて、動詞を単数形にするか複数形にするかが厳密に決まってくるので、注意が必要だ。

★トラブル・スポット

1. Each of the students at ABC College are required to have a physical checkup in April.
   （ABC 大学のどの学生も4月に健康診断を受ける必要がある）
2. Neither my parents nor my sister come to see me.
   （私の両親も姉も私に会いに来ない）
3. The number of working mothers have been increasing.
   （働く母親の数は増えている）
4. A number of working mothers has difficulty finding babysitters.

（多くの働く母親がベビーシッターを見つけるのに苦労している）
5. In the middle of the room is a table and chairs.
　　　（部屋の真ん中にはテーブルと椅子がある）
6. One of the sports that are popular among young people are skateboarding.
　　　（若者の間で人気のあるスポーツの1つはスケートボードです）
7. *Pride and Prejudice* were written by Jane Austin.
　　　（『自負と偏見』はジェーン・オースティンによって書かれた）

1 は Each of the students at ABC College is required to have a physical checkup in April. が正しい。Each や every は「（複数の中の）どの～も」と意味的には複数だが、単数扱いである。否定を表す neither of ～, none of ～ もフォーマルでは同様に単数扱いである。

2 は Neither my parents nor my sister comes to see me. が正しい。動詞は nor の後の名詞の形に合わせる。したがって、2 は my parents という複数名詞にではなく、my sister という単数名詞に合わせるので、comes となる。My parents と my sister を入れ換えた場合は、Neither my sister nor my parents come to see me. となる。Either ～ or ... の場合も同様である。したがって、Either my parents or my sister comes to see me. か、Either my sister or my parents come to see me. となる。

3 は The number of working mothers has been increasing. が正しい。「増えている」のは「母」ではなく、「母親の数」なので、動詞は mothers にではなく、number に呼応させる。

4 は A number of working mothers have difficulty finding babysitters. が正しい。A number of は、「多くの」という意味。3 の the number of と混同しやすいので注意が必要。

5 は In the middle of the room are a table and chairs. が正しい。これは、A table and chairs are in the middle of the room. が倒置された形であるので、本来は a table and chairs が主語である。

6 は、One of the sports that are popular among young people is skateboarding. が正しい。主部が長い場合は、どの単語が主部の主要語である

かを見極めなければならない。この場合は one (of the sports) が主要語であるので、動詞はこれに合わせる。sports や people に引きずられないように注意したい。

7 は正しくは、*Pride and Prejudice* was written by Jane Austin. である。and でつながれている *Pride and Prejudice* は小説のタイトルであり、単数扱いとする。戯曲のタイトルの *Romeo and Juliet* や映画のタイトルの *Charlie's Angels* も単数扱いとする。

Exercise 5

（　）の中の動詞を適切な形にしなさい。

1. Neither Japanese nor Korean (have) the same word order as English.
2. Between the desk and the stereo set (stand) a bookcase that my brother gave to me.
3. Since 1980, the number of Japanese students who study abroad (be) increasing.
4. One of the Japanese writers whose books have been translated into English (be) Banana Yoshimoto.
5. *Romeo and Juliet* (illustrate) the two young lovers' tragic destiny.

(6) 不完全な文

日本人学習者によって書かれた英作文の中には、不完全な文がしばしば見受けられる。その多くは、「節」を「文」と勘違いしていることが原因であるので注意したい。

★トラブル・スポット

1. Because English is spoken in many countries as an international language.
   （英語は国際語として多くの国で話されているので）

> **2.** We did our best, we lost the game.
> （私たちは最善を尽くしたが、試合に負けた）

1 の問題点は、主節がなく because で始まる従属節だけしかないため、完全な文になっていないことである。日本人が書く英文にはこうした例が数多く見受けられる。これは会話における because の使い方を書きことばにも同様に用いてしまったためと思われる。たとえば、次の会話を見てみよう。

> Yoko: Why did you go to Kyoto, John?
> John: Because I wanted to visit Japanese temples.

ここでは、John は because で始まる従属節だけで答えている。会話ではこれでも構わないが、書きことばの場合は必ず主節を伴わなければならない。したがって、I went to Kyoto because I wanted to visit Japanese temples. としなければ、完全な文とはならない。**1** の場合も、I study English hard because it is spoken in many countries as an international language. というように、主節を伴った文に書き換える必要がある。

2 には、we did our best と we lost the game という2つの節を結びつける接続詞がない。このような文を完全な文にするには、適切な接続詞で2つの節をつながなければならない。**2** の場合は、2つの節は対比関係にあるので、この論理関係を表すつなぎことばを用いて2つの節を結びつける必要がある。

> Although we did our best, we lost the game. （従属接続詞を使って）
> We did our best, but we lost the game.　　　（等位接続詞を使って）

Exercise 6

次の各文を正しく直しなさい。

1. Because I had three cups of coffee before going to bed.
2. I missed the connecting flight in Amsterdam, the plane was delayed two hours by an accident.

3. I made every effort to participate in the Olympics, I was not chosen as a member of the team.

（7）間違えやすいいくつかの構文

　最後に、これまでに取り上げてこなかったもので、日本人学習者が間違いをおかしやすい構文上の問題点を、まとめていくつか取り上げてみよう。

★トラブル・スポット

1. I often wonder what is he doing.
（私はよく彼はどうしているのかと思う）
2. Tokyo is a big city where has a population of more than ten million.
（東京は人口1000万以上の大都市である）
3. If I am in your position, I will forgive him.
（もし僕が君の立場だったら、彼を許すのに）
4. If I were more ambitious, I became a prime minister of Japan.
（もし僕に野心があったら、首相になっていたのに）

　1はいわゆる「間接疑問文」で、疑問文が主節に組み込まれた場合、語順は倒置されずに平叙文のように「主語＋動詞」の順序になる。したがって、I often wonder what <u>he is</u> doing. という語順になる。
　2のポイントは関係代名詞と関係副詞の区別である。先行詞が場所を示す名詞であると自動的に関係副詞の where を使うものと思いがちである。しかし、その先行詞が後に続く節の主格に相当する場合は、主格を示す関係代名詞 which（あるいは that）を使わなければならない。**2**の場合は、Tokyo is a big city which (*or* that) has a population of more than ten million. としなければならない。
　また、Tokyo is a <u>big city</u>. と There are a lot of people in <u>the big city</u>. という2つの節をつなげる場合は、共通する部分 big city を which で置き

換え、Tokyo is a big city in which there are a lot of people. とするか、in which の代わりに関係副詞の where を用いて、Tokyo is a big city where there are a lot of people. とする。

関係副詞の when についても同様の注意が必要である。先行詞が時に関する名詞であれば、すぐに when を使うと覚えると間違いをおかすので気をつけたい。

Christmas is a day which (*or* that) is celebrated in many countries.
(クリスマスは多くの国々で祝われている日である)
Christmas is a day when (*or* on which) Jesus was born.
(クリスマスはイエスが生まれた日である)

3 と **4** は日本人学習者が苦手と言われる仮定法の構文である。仮定法は時制の扱いが複雑なので気をつけたい。**3** は現在の事実に反する仮定を述べているもので、この場合は「If + 主語 + 動詞の過去 (be 動詞の場合は were)、主語 + would (*or* could, should, might) + 動詞」のパターンをとる。したがって、**3** は If I were in your position, I would forgive him. が正解。

4 は過去の事実に反する仮定を述べたもので、この場合は「If + 主語 + had + 過去分詞, 主語 + would (*or* could, should) + have + 過去分詞」のパターンをとる。**4** の正解は、If I had been more ambitious, I would have been a prime minister of Japan. である。

その他にも、If he had given me a hand three years ago, I would not go bankrupt now. (もし彼が3年前に私を助けてくれていれば、私は今破産していないのに) というように、「過去に~だったなら、現在~なのに」という意味を表す場合もある。この場合は「If + 主語 + had + 過去分詞, 主語 + would (*or* could, should) + 動詞」のパターンをとる。

Exercise 7

次の各文を正しく直しなさい。

1. My mother does not know where is my sister.
2. New York is a metropolitan city where has a large number of immi-

第3章　文をどう書くか

grants from all over the world.
3. May 8th is the day when my company celebrates as the anniversary of its founding.
4. If I am a boy, I will become a pilot.
5. If he did not fail English, he could graduate from university last year.

2　客観的で明確な文を書く工夫

　英語のアカデミックな文章では、日本語の「感想文」と異なり、問題を「客観的」な視野から捉え、論旨を「明確な文章」で展開することが求められている。このセクションでは、客観的で明確な文を書くために必要な手法を学んでみよう。

(1) Iの多用は避けよう

　次の **1a** と **1b** を読んで、どちらが客観的で明確な英文と感じるだろうか。

> **1a.** Last summer I went to America to study English for the first time. I felt very tired and miserable. I had to speak English from morning till night. Nobody tried to understand what I was thinking.
>
> **1b.** Many Japanese students experience a culture shock when they go to America to study. They tend to be exhausted because of language problems as well as cultural differences.

　日本人学習者の書く英文はIで始まるものが多いと言われる（磯貝1998, Oi 1999）。この原因としては、日本語での作文教育がいわゆる感想文を中心として「自分の思ったことや感じたこと」を率直に表現することを目的にしてきたことや、日本語が話者の目を通して感じた「内的」な意識を語

46

ることに適した言語であること（森田 1999）などが考えられる。いずれにしても、I を使いすぎると、主観的で独白的な英文になってしまい、主張に客観性や一般性がないという印象を与えてしまう危険性がある。そこで、I の視点を超えた客観的な書き方を学ぶ必要がある。

1a は作者が初めてアメリカに行った時の個人的な体験を語った文であり、主観的な色彩が強い。これに対して、**1b** では作者の体験が、「多くの日本人学生は初めてアメリカに留学した時はカルチャーショックに陥りやすい」という主張に一般論化されている。英語の論文では、このように、客観的で一般化されたスタイルが要求される。

客観的で分析的な英文の書き方については、第4章の3節でさらに詳しく解説する。

Exercise 8

次の 1 と 2 の文章は主観的な書き方をしています。より客観的になるように書き換えなさい。

1. I like better living in the urban city than in the rural town. In Tokyo, I can go to different places because there are many trains and buses. Also, there are many shops in Tokyo, so I can buy whatever I want very easily. I grew up in the countryside in Shimane Prefecture. I could not enjoy my life there. I love living in Tokyo.

2. I don't like school uniforms. Every student at my school wears the same uniform and we look like prisoners. Also we usually have only one or two school uniforms and seldom wash them. So they are very dirty. I wish I don't have to wear my school uniform.

（2） 代名詞が何を指すかを明確にしよう

日本文化では、意思の疎通は話し手と聞き手が共有する文化背景に依存する度合いが強いとされている。これに対し、アメリカ文化では、話し手

第3章 文をどう書くか

の意図は状況とは切り離した形で言語化する傾向が強いと言われている（Hall 1976）。したがって、日本語では「これ」、「それ」、「あれ」など、状況がわからなければ何をさすのか不明な代名詞が使われることが多い。しかし英語では、代名詞が何を指すのか常に明らかにしないと、読者を混乱させてしまう。

次の各文の代名詞は何を指しているか考えてみよう。
1. I saw Bill and George. He used to live in Texas.
   （昨日ビルとジョージに会いました。彼は以前テキサスに住んでいました）
2. I can never feel comfortable on the plane. It always makes me nervous.
   （飛行機に乗っていて快適と感じたことはありません。いつも落ち着きません）

1の問題点は「彼」が Bill と George のどちらの人物を指しているのかがわからないことである。テキサスに以前住んでいたのが George であれば、George used to live in Texas. というように、どちらの人物のことを言っているのかを明白にしなければならない。

2では it が何をさすのかがあいまいである。2つの文の流れから、it が「飛行機に乗ること」であることは推測できるが、英文としては it の内容を明確に言語化する必要がある。そこで、it の代わりに flying と意味を確定した表現を用いる必要がある。Flying always makes me nervous. とすれば、意味がより明らかになる。

Exercise 9

次の文に見られる代名詞はいずれも意味が不明瞭です。意味が明らかになるように、書き換えなさい。

1. After rewriting the original draft several times, I finally submitted it to Prof. Jones yesterday.
2. My favorite department store is Simon's. They always wait on me very well.

3. Mary told Jane that her mother got involved in a traffic accident.

(3) 中立的な表現を使おう

　最近、英語では性による差別のない中立的（politically correct）な表現を使おうという動きが活発になってきている。第 2 章では、コノテーションの立場から類義語の間に見られる微妙な差異を論じたが、ここでは、性差のない中立的な表現とそれに伴う文型に焦点を当てて解説をしてゆく。

> 　次の各文で、中立的ではない表現を指摘し、どのように書き直せばいいか考えなさい。
> 1. A businessman must work hard if he wants to be successful.
>   （ビジネスマンは成功したければ一生懸命働かなければならない）
> 2. Every stewardess needs to be calm on board. Otherwise, she cannot save passengers when emergency occurs.
>   （スチュワーデスは機内では冷静である必要がある。そうでなければ、緊急事態が起きた時に乗客を救うことはできない）

　1 では、「実業家」をさす businessman という単語と、それを he という男性形の代名詞で受けている点に問題がある。businessman はその中に man が含まれていることから女性を除外していると考えられる。より中立的な表現にするには、次のような方法が考えられる。

1a. A businessperson must work hard if he or she wants to be successful.
　　（businessman を中立的な名詞である businessperson に変え、he を女性を含めた he or she に変える）

1b. A businessperson must work hard to be successful.
　　（businessman を中立的な名詞である businessperson に変え、he を避けることのできる構文に書き換える）

　しかし、上記の 2 通りの方法には若干の問題点もある。**1a** のように 1 文

第3章 文をどう書くか

での表現ならこれで構わないが、さらに複数の文が続く場合は、常にhe or she や his or her という形を繰り返していかなければならず、読者にとっては大変わずらわしい。また、**1b** の方法は、he, his を避けられる構文に書き換えが可能な場合に限られる。したがって、次のような方法が最も便利なものと考えられる。

1c. Businesspeople must work hard if they want to be successful.
（businessman の代わりに中立的な名詞で且つ複数形の businesspeople を用いる。そして、he を女性も男性も含む they に変える）

2 の場合は、**1** とは逆に stewardess という女性を示す名詞と、それを受ける she という代名詞が男性を排除した差別的表現である。また、従来の文法書では、「every + 名詞」の場合は he で受けるのが一般的とされていた。しかし、現在はこれも差別的な表現であるとして、できるだけ避けるような試みがなされている。**2** をより中立的な英文とするためには、**1** の場合と同様に3種類の書き換えが可能である。

2a. Every flight attendant needs to be calm on board. Otherwise, he or she cannot save passengers when emergency occurs.
（stewardess を中立的な名詞である flight attendant に変え、she を男性を含めた he or she に変える）

2b. Every flight attendant needs to be calm on board to save passengers when emergency occurs.
（stewardess を中立的な名詞である flight attendant に変え、she を避けることのできる構文に書き換える）

2c. Flight attendants need to be clam on board. Otherwise, they cannot save passengers when emergency occurs.
（stewardess の代わりに中立的な名詞で且つ複数形の flight attendants に変え、she を女性も男性も含む they に変える）

このように3種類の書き換えが可能だが、1c 同様、2c が最も簡便な方法と言えよう。

Exercise 10

次の文を中立的な表現に書き換えなさい。

1. A policeman practices martial arts so that he can fight against violent criminals.
2. Every student must submit his paper by December 10.

3 流れのある文を書く工夫

　一文としては誤りがなく、明確な文であっても、文と文とのつながりが明瞭でなく流れのない文章は読者の理解を妨げてしまう。文と文とをつなぎ、まとまった意味を作り出す性質は「結束性」(coherence) と呼ばれ、「流れのある英文」を書く際には気をつけなければならない重要な要素である。そこで、結束性のある英文を書くための方策を考えてみよう。

(1) つなぎことば

　次の Passage 1 は、「田舎暮らしより都会の生活の方が快適だ」という主張を述べた文章である。

Passage 1

　Living in an urban city is more comfortable than living in a rural town. Public transportation facilities are very advanced. It is easy to go anywhere. We can take a train, a bus, or a subway. We can enjoy shopping in a big city. There are many shops and department stores. We can buy almost anything we want. There are many people in a city. We have a lot of opportunities to meet people with different interests and tastes in these big cities.

　この文章は、個々の文には誤りはなく、一文としての意味は明確である。

第3章 文をどう書くか

しかし、全体としての意味を把握するには読みづらい。その理由は、各々の文が短く細切れで、そのつながりがスムーズでないため、文章に流れがないからである。

「結束性」を作り出すものとして、是非とも習得しておきたいのがつなぎことば（transition words）である。"I like Japanese food. I love *sushi* and *tempura*."という2つの文を読んだ時、私たちは、無意識に2つの文の間に"for example"というつなぎことばを補って意味を理解しようとしている。つなぎことばは、文と文、あるいは節と節を結び、両者の論理関係を明確にするシグナルの役目を果たすものである。

次に示す Passage 2 は Passage 1 につなぎことばを補ったものである。Passage 1 に比べると、文と文、また節と節の間の論理関係が明確となり、文章全体の趣旨が把握しやすくなったことがわかる。

Passage 2

　Living in an urban city is more comfortable than living in a rural town. First, public transportation facilities are very advanced. Therefore, it is easy to go anywhere. For example, we can take a train, a bus, or a subway. Second, we can enjoy shopping in a big city. That's because there are many shops and department stores. Third, there are many people in a city. Therefore, we have a lot of opportunities to meet people with different interests and tastes in these big cities.

つなぎことばを機能別に分けると、補足、対比、原因、結果、選択、類似、例示、経過・順序、言い換えに大きく分類することができる。

たとえば、"I went to a department store today."という文は、つなぎことばによって、次に続く文との間にさまざまな論理関係を作り出すことができる。

I went to a department store today.
　—**Moreover**, I went to a supermarket, too. ［補足］
　　（そして、スーパーマーケットにも行きました）

3 流れのある文を書く工夫

— **However**, I did not stay there long. ［対比］
（しかし、そこに長くはいませんでした）
— **That's because** I wanted to buy a birthday present for my father.
（父の誕生日プレゼントを買いたかったからです） ［原因］
— **Therefore**, I did not go to a movie. ［結果］
（だから、映画には行きませんでした）
— **Otherwise**, I would have gone to a supermarket. ［選択］
（そうでなければ、スーパーに行ったでしょう）
— **Similarly**, Akira went to a department store. ［類似］
（同様に、明もデパートに行きました）
— **Specifically**, I went to ABC Department Store. ［例示］
（具体的には、ABCデパートに行きました）
— **Then** I visited my uncle in the hospital. ［順序］
（そして、入院しているおじを訪ねました）
— **That is to say**, I enjoyed shopping today. ［言い換え］
（すなわち、今日は買い物を楽しみました）

　さらに、つなぎことばは文法的な種類によって分けると、表1が示すように、まず副詞（句）と接続詞とに分けられ、さらに接続詞については等位接続詞と従属接続詞に分けられる。

　書く文章の種類によって、使われるつなぎことばは多少異なる。たとえば、物語文においては、"then"、"next"などの「順序」を表すつなぎことばが多く使われるのに対し、因果関係を述べた説明文では"because"、"therefore"などの理由や結果を示すものが頻繁に使われる。

　つなぎことばは、読者を「理解」という目的地に導くための道路標識のようなものである。読者が道の途中で迷わないように正確につなぎことばを使用したい。

　しかし、つなぎことばは文や節を結びつける場合に必ず用いなければならないというものではない。すべての文の文頭につなぎことばを置いてはかえって読みづらい。結束性は、次節で触れるように代名詞によっても作り出すことができる。したがって、次に示すExercise 11はあくまで1つの例であり、この通り常に文頭につなぎことばを使用しなければならない

第3章 文をどう書くか

表1 さまざまなつなぎことばとその機能

機能	副詞（句）	接続詞	
		等位接続詞	従属接続詞
補足	furthermore moreover in addition also	and	
対比	however on the other hand nevertheless	but yet	though although while
原因			because since
結果	therefore consequently as a result thus	so	
選択	otherwise	or	
類似	similarly likewise	and (. . . too)	
例示	for example for instance specifically		
順序	then, next first, second finally		
言い換え	that is in other words namely		
結論	in conclusion in brief in sum		

というわけではない。

Exercise 11

次の空所に適当なつなぎことばを入れて、文を完成しなさい。

1. My uncle had smoked at least three packs of cigarettes and drunk three glasses of whiskey every day. (　　), he finally fell ill and is about to die.
2. For many years scientists believed that the most intelligent animals after man were chimpanzees. (　　), there is evidence that dolphins may be more intelligent than these big apes.
3. John is a senior; (　　), he is in the last year at university.
4. My sister, Yoko, and I are very different from each other. (^{1}　　), we look very different. Yoko is very tall (^{2}　　) I am quite short. (^{3}　　), she is 170 cm tall; (^{4}　　), I am 152cm tall. (^{5}　　), we have completely different personalities. I am rather shy (^{6}　　) like reading books at home, (^{7}　　) Yoko is an out-going person who loves swimming and jogging. (^{8}　　) we are very different, we have one thing in common: (^{9}　　), we respect each other's talent.
5. Some people say that listening to English songs is not effective in learning English, (^{1}　　) I think that it is a very useful way in developing English skills. (^{2}　　), the lyrics use many expressions found in everyday conversation; (^{3}　　), we can learn spoken English by reading the lyrics. Songs are (^{4}　　) useful in learning English-speaking cultures (^{5}　　) they often have messages that reflect cultural and historical contexts in which the songs were produced. (^{6}　　), by listening to English songs, we can familiarize ourselves with English sounds. (^{7}　　), listening to songs is fun, (^{8}　　) we can naturally learn English while enjoying music.

（2） 適切な代名詞の使用

　日本語では、状況や文脈から判断できる場合、代名詞は通常表現されない。たとえば、目の前の恋人に向かって「僕は君を愛してる」と言えば、それは日本語としては極めて不自然な表現である。この場合、「愛している」主体は「僕」であり、「愛している」対象は「君」であることは状況から自ずと判断できる。日本語ではこのような場合は主体や客体を明示する必要はない。他方、英語の場合は原則的に "I love you." と主体及び客体を常に明確に示さなければ英語として成り立たない。

　このように代名詞の適切な使用は英文表現には不可欠な要素である。1文ではなく、複数の文をつなぐ文章のレベルでは、代名詞を適切に使うことは流れのある文章を作り出す上での重要な手法となる。

　次の文章に使われている代名詞が何を指すかを考えてみよう。

　　Treasured objects have special significance for people who invest <u>1)them</u> with personal meaning. Often cherished objects serve as visible links to loved ones, events, or traditions of the past. For example, I treasure an ancient ebony necklace I found among my grandmother's possessions after <u>2)she</u> died. I never saw <u>3)her</u> wear <u>4)it</u>. <u>5)It</u> was, in fact, a gift from <u>6)her</u> closest friend's daughter. .... A girl who lived with me once borrowed <u>7)it</u> without my permission and lost <u>8)it</u>. <u>9)She</u> found <u>10)it</u> later, but I felt bereft while <u>11)it</u> was missing and somehow whole again after <u>12)it</u> was recovered. As is the case with most treasures, there is much mystery in my attachment to this necklace; I do not know what <u>13)it</u> really means, but <u>14)it</u> means a lot.
　　　　　　　　　　　　　　　　　　　　（Joan Costello, "Treasures"）

それぞれの代名詞の指す内容は次のようになるだろう。

1）them → treasured objects
2）she → my grandmother

3) her → my grandmother
4), 5), 7), 8), 10), 11), 12) it → an ancient ebony necklace I found among my grandmother's possessions
6) her → my grandmother
9) she → A girl who lived with me
13), 14) it → my attachment to my grandmother's necklace

このように、英語の文章では代名詞が文と文をつなぐ糸のような役割を担い「結束性」を作り出している。

Exercise 12

次の空所に適切な代名詞を入れなさい。

I had an uncle and aunt who lived in Niigata. When I was a small child, I often visited (^{1}). (^{2}) had a child, and (^{3}) name was Yuko. (^{4}) and I were cousins. (^{5}) used to go to the beach together. When (^{6}) first saw the Japan Sea, I was very much impressed by (^{7}) mysterious color. (^{8}) was greenish blue. A week ago, Yuko suddenly came to see (^{9}) for the first time in 10 years. When (^{10}) saw me, (^{11}) said to me, "(^{12}) haven't changed at all. I still remember playing on the beach with (^{13}). Do (^{14}) remember that?"

(3) 時制の統一

日本人学習者が書く英文は、しばしば時制が飛ぶということが問題として指摘されている。過去から突然現在に時制が飛び、再び過去に戻るというような現象がしばしば見られる。

次の文章の時制に注目し、時制がどのように混乱しており、またどのような意味内容の部分にどの時制が使われているかを考えてみよう。

1) Long long time ago, there lived a poor girl named Cinderella.

第3章 文をどう書くか

> ²⁾She lived with her step-mother and step-sisters. ³⁾They are so mean to her that she always feels sad. ⁴⁾One day, a prince invited all the ladies in the country to a ball. ⁵⁾Cinderella's step-sisters are excited about deciding which dress they will wear. ⁶⁾However, Cinderella cannot go to a ball because she has no dress to wear.
>
> (⁽¹⁾昔、昔シンデレラという女の子がいました。²⁾彼女は継母と継姉妹と暮らしていました。³⁾継母たちはとても意地悪なので、彼女はいつも悲しい思いをしています。⁴⁾ある日、王子様が国中の若い女性を舞踏会に招待しました。⁵⁾シンデレラの継姉妹たちはどのドレスを着ることにしようかと夢中になっています。⁶⁾でもシンデレラは着て行くドレスがないので行けません）

　上記の文章は、日本人学生がシンデレラの物語を英語で書いたものである。これは過去の物語なので、英語の文章としては過去の時制で統一されていることが期待される。しかし、上の文章には、さまざまな時制が混在している。これは「時制」の項 (p.33) でも示したように、日本語は英語と同様の時制の仕組みに基づく言語ではないからだと思われる。

　上の英文では、1)、2)、4) の文で示されているような登場人物の行動など客観的事実は過去形で記されている。これに対し、3) や 5) に見られるように、登場人物の内的な心情は現在形で記されている。また 6) のように行動を記すのではなく、状況を描写する場合も現在形が使われている。さらに、5) では時制の一致がなされておらず、未来形が用いられている。このように、上記の英文に見られるさまざまな時制の混在の一因は、日本語からの影響にあると思われるので、英文を書く際は時制の一致を常に意識することが大切である。

　この英文は次のように過去形に統一して書き換える必要がある。

> 　Long long time ago, there lived a poor girl named Cinderella. She lived with her step-mother and step-sisters. They were so mean to her that she always felt sad. One day, a prince invited all the ladies in the country to a ball. Cinderella's step-sisters were excited about deciding which dress they would wear. However, Cinderella could

not go to a ball because she had no dress to wear.

Exercise 13

次の英文を読み、時制を正しくしなさい。

Last summer I took part in the Study Abroad Program our school offer and went to Sasuqehanna University. I studied English at university in the morning and joined an excursion program in the afternoon. Mr. Williams taught us English. He is very kind and encourages us to speak English when we hesitate to do so. In the afternoon, we went to a local museum and visited an Amish family. I stayed with an American family. My hostfather, John, is a police officer, and my hostmother, Mary, is a high school teacher. Mary is a good cook. She made a pancake for me, and I made *tonkatsu* for the family. I am very happy to find that they like my *tonkatsu*. Staying in Sasuquehanna is a good experience for me, and this experience made me want to study English further.

第4章

英語のパラグラフとエッセイの特徴

第4章　英語のパラグラフとエッセイの特徴

> **1** 　　　　直線的な論理と渦巻きの論理

（1）　日本人が書いた英文

　私たち日本人は英語で文章を書く時に、普通、単語の意味と綴りは正しいか、文法は誤っていないかということには気を配るが、正しい単語で文法も間違っていない文が書けたとしても、それで英語の文として万全と言えるであろうか。
　答えは "No" である。1つ1つの文が文法的に正しい文であっても、その文が複数集まりパラグラフとなった場合、あるいは文章全体として見た時、英語の文章として成り立たないということが往々にしてある。それは、いろいろな情報や考えの提示の仕方や文章のまとめ方などが、言語により異なっているからである。日本語には日本語特有の文章構造があり、英文には英語を話す人々に良しとされる文章構造があるのである。
　日本語の文章においては普通、書き手が一番述べたい点は「結論」として文章の末尾に置かれる。それに対し、英語の文章においては、書き手の主張の要点は冒頭で打ち出される。
　つまり、日本語の場合、書き始めから個々の状況的、具体的要件を1つ1つ取り出して説明し、だんだんと読み手の同調を誘い、お互い協調する核心部分に持っていき、最後におもむろに自分の言いたいことを提示するという話の展開方法（**帰納法**: inductive pattern）をとる。これに対し、英語の場合は、まず言いたいことをずばりと提示し、それに後から理由づけや補足をしていくという話の展開の仕方（**演繹法**: deductive pattern）をとることが多いということである。
　そもそも日本語には「以心伝心」ということばがあって、細かく説明しなくても読み手はわかってくれるという甘い期待（甘え）がある。また、同質性の高い社会であるため、それほど細かく説明せずとも、お互いに理解できるということもある。それに対し、アリストテレス以来の西洋の修辞

法の伝統をくむ英語の場合は、自分と異なる意見を持っている相手をいかに説得するかに心を砕くのである。したがって、人を説得するのに最も有効な話の展開の仕方ということを常に念頭に置いている。

こうした話の展開の仕方の違いや説明に対する態度の違いは、端的には日本人が英語で作文しようとする時に現れ、1つ1つの文を見ると文法的に誤りでないのに全体の流れがどうも変だ、何を言おうとしているのかよくわからない、という印象をネイティブ・スピーカーに抱かせる。

(2) 対照修辞学レトリック

アメリカの言語学者カプラン（Robert Kaplan）は、日本語に限らず外国人が書いた英作文には、母語の思考パターンを反映した特徴があることに気づいた。カプランは約600名のアメリカで勉強する外国人留学生の英作文を分析し、言語グループごとにその特徴を次のような図式で示した。

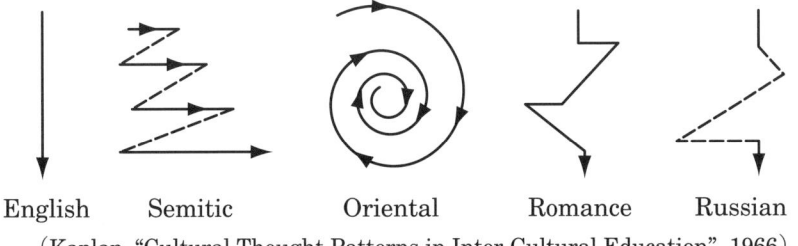

English　　Semitic　　Oriental　　Romance　　Russian

（Kaplan, "Cultural Thought Patterns in Inter-Cultural Education", 1966）

この図式の読み方は次のようになる。まず、アラビア語で代表されるセム語族（Semitic）に入る言語の文章は、肯定的な見解と否定的な見解が交互に出される平行構造（parallel construction）をとると考えられる。この文章構造（discourse pattern）は、ヘブライ語で書かれたものの特徴でもあり、旧訳聖書の書き方のなかにも、その跡が見いだされるとされている。またフランス語に代表されるロマンス語系（Romance）の言語とロシア語（Russian）は論理の逸脱（digression）がしばしば見られるのが特徴だとされている。

そして日本語を含む東洋（Oriental）の言語グループ（このくくり方には

第4章 英語のパラグラフとエッセイの特徴

問題があるが）は、「間接的な言い回し」（an approach by indirection）であり、パラグラフの展開は、「渦巻き型」（turning and turning in a widening gyre）と評されている。つまり、英語の「直線的な（linear）論理」の展開に対する「渦巻きの論理」である。このように、言語により異なる修辞パターンを研究する学問を対照修辞学（contrastive rhetoric）と言う。

　ここで重要なことは、こうした文章の展開の仕方は外国人には学ぶことができないということでは決してないということである。英語を母語として話す人々であっても、小学校の英語の授業から大学での Freshman English（大学1年生対象の英語の授業）まで、アカデミックな場で良しとされる英文の書き方を教室で勉強しているからこそ、そのように書く習慣になったのである。我々もアカデミック・イングリッシュで期待されている修辞パターンを身につけるべく勉強すればよいのである。したがって、どのようにしたら、まとまっていて、論理的であり、脈絡があり、論拠に基づき一貫性を持って展開されるエッセイを書くことができるのか、そのスキルを学ぶことがこの章の目的となる。

2　パラグラフを書く際の基本的な態度

　基本的な英語のパラグラフの構成は、前に述べたように直線的な展開をするということである。直線的ということはどういうことかというと、自分の主張を最初から最後までぐらつかせずに貫き通すということである。書く前に抱いた自分の考えを変えずに持ち続け、読み手に自分の考えを納得させるようでなくてはならない。

　たとえば、次の2つの例を見てほしい。両方とも "Do you think TV commercials should be banned totally?"（テレビ・コマーシャルは廃止にすべきだと考えますか）というタイトルのもとに書かれた文章である。こうした文章のタイプは論証文（argumentative prose）と呼ばれる（第5章参照）。右端に書かれているのは、個々の文がテレビ・コマーシャルについて賛成（For）なのか、反対（Against）なのか、中立（Neutral）なのかを示して

2 パラグラフを書く際の基本的な態度

いる。Support というのは、前の文の論拠を示す例証のための文のことである。

　右端の表示が示すように、[A] は最初から最後まで一貫して自分の主張を貫いている。読み手は、書いた人の主張に圧倒され、「なるほど、テレビ・コマーシャルはあった方がよいようだ」と思ってしまう。このように読み手に思わせてしまうということは、この [A] の書き手が優れていたからである。その成功の秘訣は自分の For commercials（コマーシャル賛成）という主張をこれでもか、これでもかと押しまくったからである。

　それに対し [B] の方は、中立的な立場の陳述から始め、初めは賛成の意見を言い、次には反対意見、そしてまた賛成、そしてすぐ反対になり、結びの文はどちらかと言うと中立の立場をとっている。こうした文では、いったい [B] はテレビ・コマーシャルに対してどのような意見を持っているのか、読み手には明確には伝わってこない。

[A]

1) We should not ban TV commercials. 2) We desperately need TV commercials. 3) Besides the Sears Catalog, TV commercials are one of the last representations of the real American family. 4) Where else do we see a perfectly sized (heterosexual couple, a daughter, a son and a cat or a dog) families and happy fun-loving people? 5) TV ads show us that there still exist people who can go through daily life without fear of Nuclear Holocaust, contaminated drinking water or A.I.D.S. 6) TV ads show us people who wake up each morning to face bright, shiny kitchens, laundry that is snapping clean and cats that dance happily when fed. 7) Although, since we are constantly flooded with ads, we complain

1) For
2) For
3) For
4) (support)

5) (support)

6) (support)

7) For

第4章　英語のパラグラフとエッセイの特徴

they interrupt our TV shows and prey on our materialistic desire, I, for one, would miss them if they were gone. 8)When I put on the 6:00 News and listen with growing horror of world devastation that threatens to wipe out my existence, I am grateful for the ad that interrupts and tells the joys of looking thirty at fifty years old; I hope I make it to fifty years old and am grateful for the fantasy of life at fifty that the commercial brings.

8) For

9)Commercials give us jingles to sing along with. 10)It gives our country a sense of unity when 80% of its population can sing "you deserve a break today...". 11)Commercials give us time to make a sandwich between shows. 12)They leave time for lovers to be affectionate without interrupting their concentration on the movie they are watching. 13)Commercials give us something to desire: a new car, meat grinder, shampoo. 14)They perpetuate the materialism that unites us, to a certain extent, as a country.

9) For
10) For
11) For
12) For
13) For
14) For

[B]

1)There are many commercials these days. 2)We can say that each commodity has more than one commercial, so some people may feel it's too persistent but I like commercials. 3)Extremely saying, commercials are the symbol of the times because commercials sometimes make words that are going around and we can know what kind of things or

1) Neutral
2) For
3) For

persons were popular in each times. 4)Then I often watch a special program which consists of old commercials and whenever I watch those I feel how well I recall the good old commercials. 5)Of course I don't accept all the commercials now. 6)Some are nonsense or only for the birds. 7)However, many years later I may be going to feel in those ways. 8)But when I watch the movies on television and I am getting excited, they interrupt the story so it's a disturbance. 9)Thinking of these things, it's the best way to build a broadcasting station only for commercials or to make a commercial period as a broadcast program.	4）（support） 5）Against 6）Against 7）For 8）Against 9）Neutral

この２つの文章における論点の推移のパターン（argumentative pattern）を示すと次のようになる（右側の数字は、論点が変更された回数を示す）。

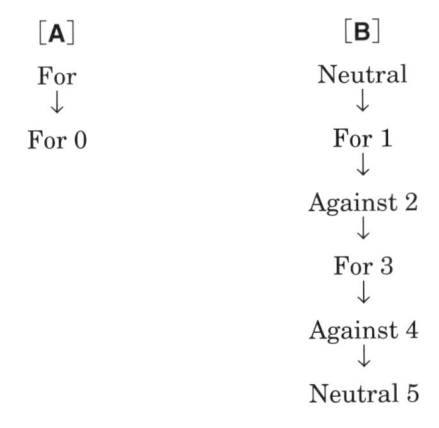

[A]
For
↓
For 0

[B]
Neutral
↓
For 1
↓
Against 2
↓
For 3
↓
Against 4
↓
Neutral 5

[A]の場合は先ほど述べたように、冒頭の主張を最後まで貫いている。[B]の場合は、５回も論点が変わったことがわかる。

それぞれの文の冒頭の文をとってみよう。

[A]　We should not ban TV commercials.

[B] There are many commercials these days.

これらの文は、"Do you think TV commercials should be banned totally?" という命題のもとに書かれた文なのである。

ここにあげた例でもはっきりわかるように、[A] では、まず冒頭に自分の答えをズバリと示している。英語の文章では、筆者の意図は、文の始めの方で、はっきりと打ち出されることを好むのである。そのような習慣にしたがっている人が、[B] を読むと、「いったい、この人の主張は何なんだろう」とイライラした気持ちになってくるのである。そして、当然ながら、英作文としての評価は低くなってしまう。

ここで、「英文を書く際の基本的態度」として次のようにまとめることができる。

① 書く前に自分の考えをはっきり持つ。
② 読み手（audience）がいるということを意識する。
③ 自分の考えを冒頭で明確に打ち出す。
④ 自分の考えを書いている途中で変えてはならない。
⑤ 自分の主張を相手に納得させるために書くという気構えを持つ。

以上はあくまでも英文を書く上での、心構えとでも言えるもので、具体的なスキルについては次節以降で詳しく説明する。

3 客観的な文章と主観的な文章

次の文章、[A] と [B] を比較してどのような違いに気づくであろうか。両方とも、「結婚について」（"On Marriage"）というタイトルで作文しなさいという指示のもと、大学生が書いた文章である。

[A] I am not good at house-keeping. So I don't want to get married with someone. But I like children very much. So I want to have many children. One day I said to my mother, "I don't want to get

3　客観的な文章と主観的な文章

married. Because I don't like house-keeping. So I want to stay in this home with you and Father. But I want to have many children. But if I don't get married and have a child at the same time, what will I do?" Then my mother got angry with me....

（私は家事が苦手である。だから私は誰かと結婚したいと思わない。でも私は子供が大好きである。だから、私はたくさんの子供が欲しい。ある日私は母にこう言った。「私は結婚したくない。なぜなら私は家事が嫌いだから。だから私はお母さんとお父さんと一緒にこの家にずっといたい。でも、私はたくさんの子供が欲しい。でも、結婚せずに同時に子供が欲しいとしたら、どうしたらよいのだろう」。すると、母は私に腹をたてた。［以下略］）

[**B**] "Marriage" has the origin in the age of animal. In the society of animals, the most important topic for males is how to get wives and have children as many as possible. The easiest way to achieve it is to get a female and keep her from other males; therefore, males must fight against the others. I suppose this is the root of "marriage."

In human ages, it is not always reasonable to get married. Naturally it is not the most important topic for men to get wives and have children. In addition, there are some demerits about "marriage" in the human society. A male and a female must love each other and never love other people. It is impossible to love only one person in one's entire life, except for some special cases. Therefore, it is reasonable that people who are already married have the right to have other mates. Different societies have different rules for their marriage systems that suit their own societies....

（「結婚」は動物であった時代に起源がある。動物の社会においては、オスにとってもっとも重要な問題はいかにしてメスを手に入れて、できるだけ多くの自分の子孫を残すかということである。その目的を達成するためのもっともやすい方法はメスを獲得し、そしてそのメスを他のオスたちから隔離しておくことである。それゆえ、オスは他のオスと戦わなくてはならない。おそらくこ

第4章　英語のパラグラフとエッセイの特徴

> れが「結婚」のルーツであろう。
> 　人間の時代になってからは結婚することが必ずしも合理的なものではなくなっている。当然のことながら、男にとって妻を娶り、子どもを持つことが一番重要な問題ではない。その上、人間社会においては「結婚」がデメリットでさえある。男性と女性はお互いを愛し、他の人を愛してはいけないことになっている。しかし、特別なケースを除いて、一生1人の人だけを愛するなどということは不可能なことである。それゆえ、結婚している人であっても他の相手を持つことができる権利を有するということは理にかなっている。異なる社会においては結婚体系においてそれぞれの社会に適合した異なるルールが存在している。［以下略］）

　一読してわかる通り、［A］は身近な話題、つまり自分のことに関してだけの主観的な文章であるのに対し、［B］の文章は動物世界全般から話を起こし、客観的な視点から話を進めている。それを裏付けるかのように、［A］ではほとんどの文が "I" で始まっているのに対し、［B］では "I" で始まる文が少ない。また、［A］の文はどれも接続詞（So, But）で始まっていて、とても不自然である。

　両者とも同じテーマのもとで書かれたものなのに、どうしてこんな違いが出てきたのであろうか。それは文章を書く時、題材を身近な自分の経験にのみ求めるのか、それとも広い見地から事象を観察するのか、という違いによるものである。身近な事例のみで話を進めるとすれば、自分だけに通用する言説が中心となり、おのずと文章は "I" が多用される。それに対し、物事を大所高所から見て客観的な態度で書こうとすると、主観を排除した三人称が使われるようになる。

　第3章の2節でも述べたように、"I" で始まる文ばかりでは英文として幼稚な印象を与える文章になってしまい、あまり感心しない。これに対して、三人称の文章には、客観性や分析的視点、問題解決の姿勢が感じられる。ところが、日本人は三人称で書くことが苦手であるという（Kamimura & Oi, 2001）。では、どのようにしたら、自分の身近なところだけでの分析にとどまらず、客観的で分析的、かつ問題解決の視点を持つ文章が書けるようになるのであろうか。

　アメリカの言語学者 Bereiter & Scardemalia (1987) は、上記［A］のよ

3 客観的な文章と主観的な文章

うな思いつくことをただ書き連ねている文章を「知識伝達型（knowledge-telling）文章」と呼び、［B］のような客観的文章を「知識変形型（knowledge-transforming）文章」と呼んでいる。それでは両者のタイプの違いを Bereiter & Scardemalia が提示している作文例とともに見てみよう。

以下の2例とも、「学校で学ぶ科目を子供たちが自由に選ぶことができるようにすべきですか」（"Should children be able to choose the subjects they study in school?"）という課題のもとに書かれたものである。

[C] I think children should be able to choose what subjects they want in school. I don't think we should have to do language, and art is a bore a lot. I don't think we should do novel study every week. I really think 4s and 3s should be split up for gym. I think we should do a lot of math. I don't think we should do diary. I think we should do French.

（僕は学校で取る科目は自由に選べるようになるべきだと思う。言語の勉強をやる必要はないと思うし、美術もすごく退屈だ。毎週文学について勉強する必要はないと思う。4時間目と3時間目は半分にして、体育をすべきだと思う。算数はたくさんやった方がいいと思う。日記の宿題はすべきでないと思う。フランス語はやるべきだと思う）

[D] I personally think that students should be able to choose which subjects they want to study in school. In grade 9 students are allowed to choose certain subjects which they want to but even then the students aren't sure. Many don't know because they don't know what they want to be when they get older. If they choose the subjects they wanted most students would of course pick easier subjects such as art, gym, music, etc. I think that this doing is partly the schools fault. If the school made math classes more interesting students would more likely pick that....

（私は個人的には、生徒たちが自分が学校で勉強する科目を選べるようにすべきだと考える。中学3年では、生徒は自分の学びたい科目を選ぶことを許さ

第4章　英語のパラグラフとエッセイの特徴

> れるようになるが、そうした時でも生徒たちは自分の選択に自信があるわけではない。多くの生徒が自分の取りたい科目に関してよくわからないというのは、自分が大きくなったら何になりたいかよくわかっていないからだ。もし、生徒が自由に科目を選ぶことができるようになったなら、当然のごとく、美術や体育、そして音楽など楽な科目を選んでしまうであろう。これは、部分的には学校にも責任があることである。もし、数学がもっとおもしろく教えてもらえるなら、生徒も数学を選ぶであろう...）

　[C]は10歳の子が書いたものであり、[D]は14歳の子の手によるものである。前者の文章は「知識伝達モデル」に、後者の文章は「知識変形モデル」に分類されるものである。もちろん発達年齢の違いによる認知力の差というものがあるが、言語的にはこの両者の違いはどこから生まれてくるのであろうか。

　この両者の違いはまさしく、前掲の[A]と[B]との差異と同様である。[C]は自分の見解の羅列（したがって「知識伝達」）にすぎないのに対し、[D]は個人的な事柄から距離を置き、文の主語もIではなく、theyというように客観化し、If 〜, . . .（もし〜ならば . . . だ）という構文を使っていることに注目したい。つまり、問題を立て、それを解決しようとする思考態度（問題解決型能力）が見られる。また、視点が、生徒本人の問題から、学校の問題へと移り、客観的に批判的に捉えていることも見て取れる。したがって、後者は「知識変形モデル」に分類される。

　我々の目指すところはもちろん「知識変形型」の文章である。身辺雑記的な記述から離れ、広く大所高所から見た客観的な文章を書くよう心がけたいものである。そのためには、まずは英語のパラグラフ、そしてエッセイの基本構造をよく理解し、そして第5章で紹介するさまざまなタイプの文章から具体的な文章構成の技法（レトリック）を学ぶことが肝要である。

4　英語のパラグラフの構成

　ではまず、英語のパラグラフ（paragraph）とは何かについてしっかり

学ぼう。パラグラフとは、いくつかの文（sentences）が集まったものであると一般に言われる。パラグラフの日本語訳は「段落」であるが、日本語でいう段落がわりあいルーズな意味で捉えられているのに対し、英語のパラグラフはパラグラフとして存在するためのはっきりとした概念を持っている。

それは、「1つのパラグラフでは1つのアイディアを述べる」ということである。別のことばで言うと、「1つのパラグラフはある1つのトピックを持っている」ということである。このトピックというのは、パラグラフの中で伝えたい一番の「主題＝テーマ」ということになる。1つのパラグラフの中で1つだけの主題を述べることによってパラグラフ内での統一が保たれる。別のもう1つの主題について書く場合には、パラグラフを変えなければならない。英語で明晰なパラグラフを書くためにはパラグラフ内の統一を保つことが非常に大切である。

パラグラフを構成する三大要素は、(1) トピック・センテンス（topic sentence）、(2) 支持文（supporting sentences）からなるボディ（body）、(3) 結びの文（concluding sentence）である。それらについて以下に説明する。

(1) トピック・センテンス

トピック・センテンスというのは、それぞれのパラグラフにおいて、そのパラグラフの話題が何であるかを打ち出している文のことである。トピック・センテンスはそのパラグラフの中心となるテーマを伝えるという非常に重要な役割を担っている。トピック・センテンスというのは、「トピックを紹介する文」というように日本語式に了解してもらっては困る。英語でいうトピック・センテンスは、「トピック＋筆者のコメント」という形にしなければいけない。たとえば、"I am going to talk about living in a small town." という文章の始まりの文は、トピックを紹介している文ではあるが、トピック・センテンスではない。"Living in a small town is boring." というように「筆者の主張・考え」（これを controlling idea と呼ぶ）が盛り込まれて、初めてトピック・センテンスとなり得る。トピッ

ク・センテンスが貧弱に書かれていると、そのパラグラフの伝えたいテーマに関して、漠然とした意味しか伝えることができない。そこで必要になってくるのが、controlling idea である。controlling idea をトピック・センテンスにきっちりと組み込むと、そのパラグラフの目的・テーマがはっきりしてくる。この controlling idea というのは、漠然としたトピックではなく、実際にそのトピックがどのように扱われるかという判断を読み手に示すものである。

たとえば、ある文において、"Living in a small town is boring." が、トピック・センテンスであった場合、"Living in a small town" がトピックであり、"is boring" の部分が筆者の考えを表す controlling idea である。しかしながら、このトピック・センテンスもあまり明確なテーマを打ち出しているとは言い難い。もう少し明確にするためには、次のように controlling idea を絞り込むことが必要である。"Living in a small town is boring, especially when you are young."

したがって、次のような公式ができ上がる。

> トピック（話題）
> ＋ 書き手の考え（controlling idea）
> ＝ よいトピック・センテンス

（2） ボディ

パラグラフを構成する要素には、トピック・センテンスのほかに、パラグラフの大部分を占めるボディ（body）と呼ばれる部分がある。ボディは、**支持文**（support［supporting sentences とも言う］）と呼ばれる、トピック・センテンスの主張をいわば支える文で成り立っている。支持文があってこそ、トピック・センテンスの controlling idea が読み手にも納得されるのである。

たとえば、次の例（小さな町の生活と都会生活を比べた一文）を見てほしい。冒頭の "The atmosphere in small towns is much more relaxing compared to that of cities."（これが、このパラグラフのトピック・センテン

4 英語のパラグラフの構成

ス）の理由づけとなる支持文が3つ並べられて、読み手にトピック・センテンスの主張を納得させる。

Topic Sentence	The atmosphere in small towns is much more relaxing compared to that of cities, especially when considering my hometown of Okanogan and the nearby city of Spokane.
Support 1	First, Okanogan has much fewer people than Spokane. They are very friendly to each other.
Support 2	Second The people in Okanogan provide little hassle in day-to-day life while Spokane seems to be one big problem.
Support 3	Finally, Okanogan can be very serene, peaceful, and beautiful while Spokane reminds me of ugly Gotham City.
Concluding Sentence	In conclusion, we can say that one can live relaxingly in small towns.

Topic sentence: small town is much more relaxing
Support 1: fewer people → friendly
Support 2: provide little hassle in day-to-day life
Support 3: serene, peaceful, and beautiful

これを図式すると次のようになる。

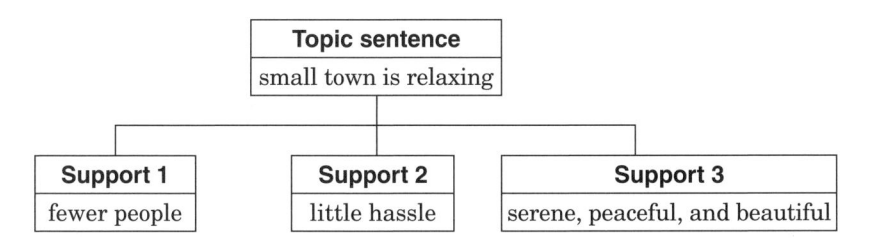

```
            ┌─────────────────────────────┐
            │      Topic sentence         │
            │  small town is relaxing     │
            └─────────────────────────────┘
               │         │         │
    ┌──────────┴──┐ ┌────┴─────┐ ┌─┴──────────────────────────┐
    │  Support 1  │ │Support 2 │ │        Support 3           │
    │ fewer people│ │little    │ │serene, peaceful, and       │
    │             │ │hassle    │ │beautiful                   │
    └─────────────┘ └──────────┘ └────────────────────────────┘
```

（3） 結びの文

パラグラフの最後に置かれるのは結びの文（concluding sentence）である。これは、トピック・センテンスの内容をことばを換えて言い直したものである。時として省略されることもある。上記の例文では "In conclusion respects, we can say that one can live relaxingly in towns." が、これにあたる。In conclusion 以外にも、In summary, In brief などのつなぎ言葉に導かれて結び文が提示されるのが一般的である。

5　英語のエッセイの構成

英語のエッセイは、普通たった1つのパラグラフから成るということはなく、いくつかのパラグラフから成り立っている。その成り立ちは、いわばパラグラフのそれぞれの要素を拡大したものと言える。

普通、英語の文章は1つの主題のもとに、次の3つの部分から構成されている。

（1）　序論（introduction）
（2）　本論（body）
（3）　結論（conclusion）

通常、序論は introductory paragraph と呼ばれる1つのパラグラフで構成される。次の本論は1つのパラグラフの場合もあるが、通常はいくつかのパラグラフで構成される。それぞれのパラグラフにはトピック・センテンスとそれを支える支持文（support）がある。本論にあたる部分のそれぞれのパラグラフの並べ方、展開の仕方には、いくつかのパターンがある（第5章参照）。文章の最後は、結論として、結論文（concluding sentence）を述べて終わりとする。これを図式すると次のようになる。

5 英語のエッセイの構成

ESSAY

I. INTRODUCTION	中心となる主張を述べる
II. BODY	

A. Topic Sentence
    1. Support
    2. Support
    3. Support
 	
  B. Topic Sentence
    1. Support
    2. Support
    3. Support
 	
  C. Topic Sentence
    1. Support
    2. Support
    3. Support
	文章の論旨を展開する

III. CONCLUSION	自分の主張をまとめる

PARAGRAPH

Topic Sentence
A. Support B. Support C. Support
Concluding Sentence

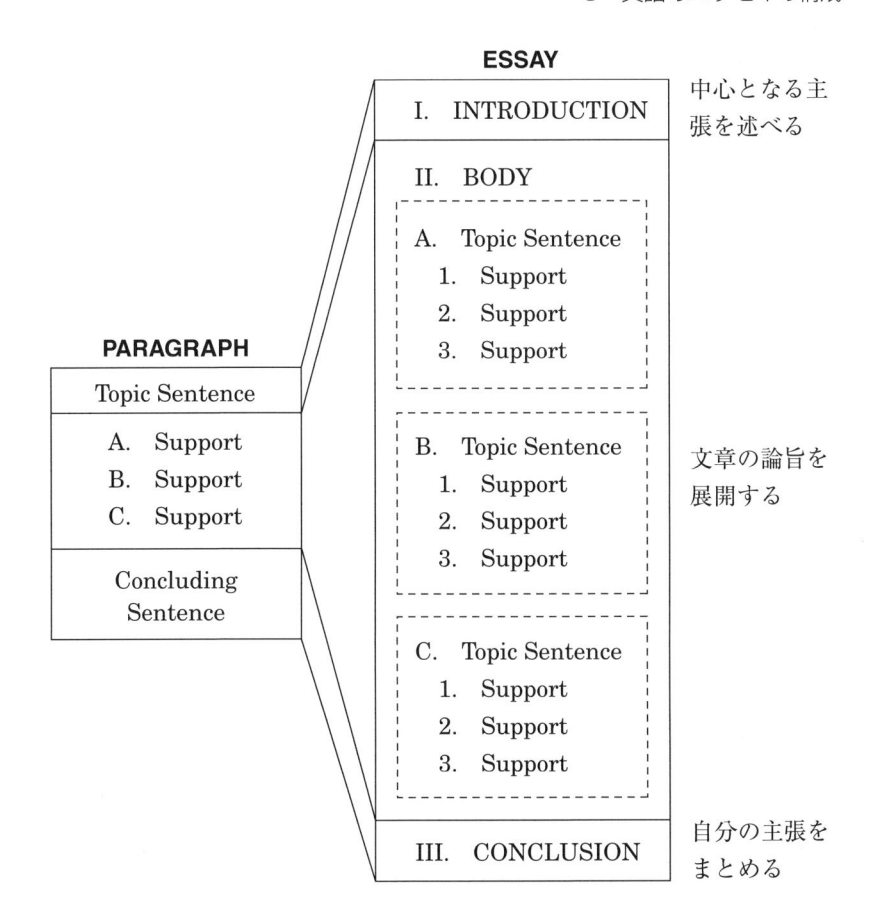

（1） 序論の作り方

　序論の目的とは、読者にこのエッセイが何について書かれたものであるかの指針を与えるものである。このエッセイで一番述べたい点は主題文（thesis statement）で打ち出す。この主題文はパラグラフにおけるトピック・センテンスと同じような働きをする。また、読者によりよく内容を理解してもらうために、エッセイ全体がどのように構成されているかという点についても序論で述べておくとよい。まとめると、序論ですべきことは以下の通りである。

① 扱うテーマに関して必要となる一般的な背景知識を読み手に与える。
② テーマを絞り込む。
③ 自分が述べたい意見を主題文としてはっきり述べる。
④ エッセイ全体の構成を示す。

主題文は一般的に序論の最後部に置かれるのが一般的である。

（2） 本論の作り方

本論のいくつかのパラグラフの役割は主題文をサポートすることである。本論での論の展開の仕方のパターンについては、第5章で詳しく取り扱うことにする。

（3） 結論の作り方

結論はエッセイの終わりを締めくくる。ここでは序論で述べられた主題文をことばを変えてもう一度言い直すことが求められている。結論部に来てからそれまで序論や本論で述べていなかったことを突然持ち出してはいけない。

Exercise

次の文章は、文の順序がばらばらになっている。それらを筋が通るように正しく並べ換え、パラグラフとして完成しなさい（まずは文章全体を要約しているトピック・センテンスを見つけること）。

1.

____ a. Tokyo has a network of trains and subways.

____ b. First, both cities are political centers of the countries.

____ c. For example, Tokyo has the Imperial Palace and many old temples.

____ d. Another similarity is that both Tokyo and London have an excellent transportation system.

____ e. The Japanese Prime Minister lives in Tokyo, while the British

Prime Minister lives in London.
___ f. London also has frequent service of subways.
___ g. Finally, Tokyo has some historical sites, and London have some, too.
___ h. London, on the other hand, is famous for the Buckingham Palace and Westminster Abbey.
___ i. Thus, Tokyo and London are cities that have several things in common.
___ j. Tokyo and London are big cities which are similar in several ways.

2.
___ a. For example, due to long economic depression, business people always face a possibility of being fired.
___ b. They drink excessively perhaps because they want to escape from stress at their workplaces.
___ c. Insomnia affects our physical as well as mental health, and thus it is important to attempt to find ways to relax in our busy everyday life.
___ d. Young junior and high school students also have a busy daily schedule where they attend both regular schools during the day and cram schools in the evening.
___ e. The main reason is that many Japanese people are forced to lead a busy life.
___ f. Another possible cause is that some people drink heavily, which prevents them from enjoying sound sleep.
___ g. Flight attendants on international flights, for instance, have to bear with jet lag.
___ h. Recently the number of Japanese people, both young and old, who suffer from insomnia has been increasing.

第4章　英語のパラグラフとエッセイの特徴

　　____ i. A third reason is that people have a variety of occupations, some of which require them to work according to an irregular schedule.

3.
　　____ a. First, they can use a house phone at home and a public phone at school.
　　____ b. As a result, the ringing sound can be a disturbance in class.
　　____ c. Third, the cellphone bills can be very high.
　　____ d. Of course, cellphones are very useful in case of emergency.
　　____ e. In my opinion, it is not necessary for junior high school students to have cellphones.
　　____ f. Even if there is not a public phone at school, they can ask their teachers to use school phones in case of emergency.
　　____ g. What kind of emergency, however, will they face on the way to school and back home where they cannot get any assistance from anyone?
　　____ h. In conclusion, junior high school children should not be allowed to have a cellphone.
　　____ i. Second, students sometimes forget to shut off their phones in class.
　　____ j. As they are not working, their parents end up paying the expensive bills.

第5章 英語の文章のジャンルとレトリック

第5章　英語の文章のジャンルとレトリック

　この章では、いよいよさまざまなタイプの英語の文章を詳しく検討することにする。英語の文章のジャンルは Alexander Bain（1890）により大きく4つに分けられ、以後英作文教育においてはその区分が踏襲されている。それらは、「物語文」(narration)、「描写文」(description)、「説明文」(exposition)、「論証文」(argumentation)［persuasion も含む］である。説明文は取り扱う内容や論旨の展開法により、「比較・対照」(comparison / contrast)、「例証」(examples)、「分類」(classification)、「原因と結果」(cause / effect) などにさらに分類される。特徴ある文章を書くためには、それぞれのタイプに特有の構成の仕方や表現技法（レトリック）を学ばねばならない。

1. 物語文
2. 描写文
3. 説明文 ── 比較・対照
　　　　　├ 例証
　　　　　├ 分類
　　　　　└ 原因と結果
4. 論証文

　良い文章を書くためにはインプットとしてモデル文に習熟することが必要であることは言うまでもない。ここに掲げてあるモデル文をよく読み、内容を理解するとともに、各タイプの文章に特有の文章構成及び表現上の技術（レトリック）に注意を払って学習してみよう。なお、各モデル文にはそれぞれのタイプに特有の表現に下線が引いてある。

1　物　語　文

　「物語文」というのはストーリー(story)を書くものである。ストーリーといっても、fiction（創作）ではなく、ある人物にまつわる経験や事実に基づいたストーリーである。

1 物語文

「物語文」で用いられるパラグラフの展開方法は、**時間的配列**（chronological order）である。時間的配列の場合、出来事が起こった順にパラグラフを構成していけばよいので、いくつかあるパラグラフの展開方法の中では、比較的やさしい部類に入る。しかしながら、自分が書こうとするものの中で、何を入れ、何を省くかを決めるのは、簡単ではない。また、自分の書こうとしているストーリーに読者の関心を引きつけるために、導入部分での工夫も必要であり、また、ストーリーが終わるまで読者の関心を持続させるための工夫も大切である。

それらの点に留意して、次の例文を読んでみよう。

Tina

<u>The first time</u> I saw Tina was on a cold December day, when the wind was blowing the snow across the lawns and sidewalks in little gusts and circular movements. She stood alone at the inside door of our school, a thin girl of medium height with straight dark blond hair falling to her shoulders — hair that was in need of washing and trimming. But it was her eyes I noticed the most. They were pale blue, unshining, sullen, expressionless.

I teach English in an alternative classroom situation for high school girls who are pregnant. Instead of going to regular high school classes where they might be embarrassed, uncomfortable, and looked down on, they come to these three rooms in the basement of the YMCA where five of us women teach them.

Tina was four months pregnant and just beginning to "show". "You must be Tina," I said, welcoming her and extending both hands to her. "Yes," was her reply. She did not reach back to me, but let me take her hands in mine.

Leading her by the hand I said, "Let me introduce you to the other girls," and took her among the tables where 12 other girls, in various stages of pregnancy, were just beginning to get their books and notebooks out for the first class — Childcare. <u>After</u> the introductions, we got Tina settled at a table with some books and pamphlets, ready for the first class. She did not smile or look happy or comfortable, but she listened to Pat Peterson teach childcare class with a bit of curiosity.

Whether to keep their babies or place them for adoption was always a big and eternal question for the girls of TAPP (Teen-Age Parent Program). We all advised to place them for adoption, pointing out that children need a father and a mother and a secure homelife, but placing children for adoption was rare for them to do.

Tina was different from the other girls. For one thing, we soon learned that she had a keen mind. She studied and had her assignments always finished on time. She wrote good answers to the history questions and wrote a fine book report for English class. She was 15 years old, from a family of one younger brother, a divorced mother, and a stepfather. While they did not seem to treat her unkindly, they did not take any interest in her either.

Tina had not settled the question of placing her child for adoption or keeping her child <u>by</u> the beginning of May, and we all were eager to help her with her decision <u>before</u> her baby came. She had spent five months in our school, seen the difficulties some of the girls had: sick babies, babies with bad rashes on their faces or bottoms, babies who were fussy and cried a lot.

She also noticed that without further education, none of the girls would ever be able to get a really good job. In her heart, she knew she wanted to someday be independent and be able to take care of herself.

<u>Two weeks before</u> her baby was born, Tina asked for an interview with Lutheran Welfare and made the commitment to place her baby

for adoption. The other girls admired her, and we praised her highly.

<u>A year later</u> I saw Tina on the campus of our local state college. I was taking some books back to the library, and saw her talking and smiling happily with three friends. I hardly recognized her, as her face was so bright, eyes sparkling, hair nicely styled. I stopped for a minute to talk to her, and she introduced me to her friends — two girls and a boy. She said she was on the Dean's list, and majoring in Education. She had decided to be a teacher. We did not mention the past. I told her I felt she would be a very fine teacher. "Oh, thank you!" she said, and stood to give me a hug. Her warmth was evident, her smile genuine, her future secure, I thought. How wonderful Tina had been able to make a correct, difficult decision!

(By Hazel Hakes)

【語句】 adoption「養子」 rashes「発疹」 on the Dean's list「成績優秀者名簿に載っている」

=== 内容理解のために ===

《問題》 この文章の冒頭は暗いイメージで始まっているが、最後は明るい印象で終わっている。その効果は使われている形容詞によって担われている。冒頭の暗いイメージをかもし出している形容詞と、末尾の明るいイメージを出している形容詞を本文中から拾い上げてみよう。

(1) 暗いイメージを伝える形容詞

___

(2) 明るいイメージを伝える形容詞

___

こうした形容詞の対照的な使い方により、ストーリーがより印象的になる。

第 5 章　英語の文章のジャンルとレトリック

――― **レトリック** ―――

"Tina" で用いられた時間的配列に特有のつなぎことば（transition words）を見てみよう。

▶ **The first time** というつなぎことばは、話の展開を「では、次はいつか」と、次に期待させるのに有益なものである。

▶ **by the beginning of May**「5 月の初めまでに」

▶ **before her baby came**「赤ちゃんが生まれる前に」

▶ **Two weeks before her baby was born**「赤ん坊が生まれる 2 週間前に」

▶ **A year later**「1 年後に」　前の段階での話から 1 年間がたったことを示している。

■「物語文」で用いられるつなぎことば

「物語文」においてはアイディアとアイディア、またその間の時間的経過を示すつなぎことばを有効に使うことが求められる。時間と順序を示すつなぎことばを正しく使って文章の流れを論理的にそしてスムーズにすることが大切である。つなぎことばは、いろいろな出来事が起こった順番をさし示したり、時間的経過を示して、読み手を正しく導いてくれるものである。"Tina" の場合、下線を引いてある語句がそれにあたる。以下に narrative writing でよく用いられるつなぎことばとその例文を示す。

① 時間を示すもの

- **by** + **time**:　*By 10 o'clock*, everyone was asleep.
- **at** + **time**:　*At about 7 o'clock*, everyone rushed to the theater.
- **after** + **time**:　*After 5 o'clock*, the people decided to go home.
- **before** + **time**:　Everyone tries to get there *before 7 o'clock*.
- **after** + 名詞:　*After the lunch*, we decided to go to the beach.
- **before** + 名詞(句):　*Before the show*, everyone was excited.
- **during** + 名詞(句):　*During the morning*, the people were relaxed.

② 順序を示すもの
- **first**: *First*, we went to the zoo.
- **next**: *Next*, we stopped at the aquarium.
- **second**: *Second*, we saw the famous castle.
- **then**: *Then* we took a rest at a nice park.
- **lastly**: *Lastly*, we stopped by a souvenir shop.
- **finally**: *Finally*, our trip was over.
- **meanwhile**（同じ頃）: They were having a very good time on the tour. *Meanwhile*, the robbers were taking things away at the vacant house.
- **at the same time**（その時）: I waited and waited for him for two hours. *At the same time*, he was stuck in the elevator.

Let's Write

次のタイトルの中から1つ選び、物語文を書いてみましょう。

1. The most terrible mistake I have ever made in my life
2. The most enjoyable trip I have ever had
3. An unforgettable dream
4. My worst day

2　描写文

「描写文」とは物、場所、人物などの外観的特徴を描写するものである。場所を記した描写文で用いられる展開方法は**「空間的配列」**（spatial order）である。「空間的配列」とは、「上から下へ」あるいは「右から左へ」など、ある一定の空間的配列を示し、読者が描写された物や人物を頭の中で再現し、イメージを描くのを助ける働きをする。

第5章　英語の文章のジャンルとレトリック

次に示したのは、ワシントン DC を描いた描写文であるが、どのような「空間的配列」が用いられているかに留意しながら読んでみよう。

Washington Present

Washington today is a city of extraordinary changes and extraordinary continuities. The federal government accounts for much of the city's character. But though the capital is stamped with the past, it is also immersed in trends. Indeed, the classical buildings and the timeless monuments survive in an ever shifting metropolis.

Visitors to Washington frequently remark upon the city's many faces. From a thriving downtown commercial district to an 18th-century port now filled with boutiques and homes for the affluent — from an inner-city core of row houses to a park of woods, paths, and glades extending for miles — our national's capital displays an ever-changing look and feel.

Capitol Hill is an excellent point from which to overlook the city. Standing on the Capitol's West Front Terrace, one is struck by the expansive sweep of the Mall. The Capitol grounds give way to a reflecting pool. Farther west are the galleries and museums, along with the towering Washington Monument, the inspiring memorial to Lincoln, and the wooded ridge of Virginia beyond the Potomac. Known as Jenkins' Hill in the colonial era, Capitol Hill today is a focal point for the country, the scene where our elected representatives convene to do the people's work.

With the floodlights on at night, the Capitol Building is a glowing vision. Probably few Washington visitors know that its famous dome is considered a masterpiece of 19th-century engineering. Expanded wings for the House and Senate and two successive domes, along with extension of the East Front in the late 1950s, have all but hidden the original sandstone structure under sheaths of marble.

  <u>Within</u> the Capitol comprises a series of grand chambers connected by a maze of passageways and corridors. The central Rotunda, <u>below</u> the dome, contains huge historical paintings by the early American artist John Trumbull and other painters. <u>Here</u> American heroes have lain in flag-draped coffins: the unknown soldiers and the martyred leaders Lincoln, Garfield, McKinley, and Kennedy. <u>Below</u> the Rotunda, in the area known as the Crypt, there was to be a monument to George Washington covering a tomb for the first President.

  Congressional offices are spread <u>throughout</u> six imposing structures <u>beyond</u> the Capitol Building itself. At the turn of the century, the two houses of Congress were sufficiently large to warrant a separate office building for each. The Senate's buildings are located <u>directly northeast of</u> the Capitol, and the office buildings of the House are <u>immediately south</u>. Subways connect all of the buildings to the Capitol, enabling congressmen to quickly reach the floor of the House or Senate. (Richard Striner, "Washington Present: Our Nation's Capital Today", © 1986 United States Capitol Historical Society)

【語句】 **stamped**「深く刻みこまれている」 **immersed**「浸された」 **the affluent**「富豪」 **row houses**「家並み」 **give way to a reflecting pool**「(像などを)映し出す池に下降して通じている」 **convene**「集まる」 **the House (of Representatives)**「下院」 **the Senate**「上院」 **sheaths**「覆い」 **Rotunda**「丸天井のある円形大広間」 **flag-draped**「旗で覆われた」 **Crypt**「地下室」

「空間的配列」の方法には、次のようなものがある
- 上から下へ、下から上へ
- 右から左へ、左から右へ
- 全体から部分へ、部分から全体へ

第5章　英語の文章のジャンルとレトリック

- 北から南へ、南から北へ
- 東から西へ、西から東へ
- 右回りに、左回りに
- 近くから遠くへ、遠くから近くへ

内容理解のために

《問題》　モデル文の第3パラグラフ、第5パラグラフで使われている「空間的配列」の方法は、それぞれどのようなものか答えなさい。

（1）　第3パラグラフ：＿＿＿＿＿＿＿＿＿＿＿＿＿＿＿＿＿＿＿＿

（2）　第5パラグラフ：＿＿＿＿＿＿＿＿＿＿＿＿＿＿＿＿＿＿＿＿

レトリック

　描写文では、「空間的配列」を明確にするために、位置を示す語句（spatial vocabulary）を有効に使う必要がある。下記に示したのは描写文で用いられる主な「位置を示す語句」であるが、おのおのの意味と使い方をチェックしてみよう。

（1）　主な位置を示す語句
① **in, at**「〜に」
- **in:**　広い地域内での位置を示す。
- **at:**　狭い地点での位置を示す。

　I was born *at* Mishima *in* Shizuoka Prefecture.

② **on, above, over**「〜の上に」
- **on:**　表面に接していることを表す。必ずしも「上」である必要はない。

　The pictures are hanging *on* the wall.

- **above:** ある距離をおいて、上の方にあることを示す。
  Mt. Fuji is 3,776 meters *above* sea level.
- **over:** おおいかぶさるように真上にあることを示す。
  There is a big bridge *over* the river.

③ **under, below, beneath**「〜の下に」
- **under:** 真下に（over の反対）
  We had lunch *under* the tree.
- **below:** ある距離をおいて、下の方にあることを示す（above の反対）。
  The sunken ship was found fifty miles *below* sea level.
- **beneath:** 接していて下にあることを示す（on の反対）。
  My father wore a thick sweater *beneath* his overcoat.

④ **between, among**「〜の間に」
- **between:** 2つの物の間にあることを示す。
  ● is *between* □ and △.　（●は□と△の間にある）
- **among:** 3つ以上の物の間にあることを示す。
  ● is *among* □, △ and ◇.　（●は□や△や◇にはさまれている）

⑤ **around, about**「〜のまわりに」
- **around:** あるものの周囲をとりまいている状態を示す。
  The students sat *around* the campfire.
- **about:** あるものの周囲にあちこち点在していることを示す。
  The books were scattered *about* the desk.

⑥ **in front of**「〜の前に」
  Please wait *in front of* "Hachiko."

⑦ **behind**「〜の後ろに」
  My house is *behind* the temple.

⑧ **along**「〜と同じ方向に、〜に沿って」
  We took a walk *along* the Tama River.

第5章　英語の文章のジャンルとレトリック

⑨ **across**「～を横切って向こう側に」

My sister lives *across* this street.

⑩ **through**「～を突き抜けて向こう側に」

The bullet train left Atami, passed *through* the Tanna Tunnel, and reached Mishima.

⑪ **throughout**「～のいたるところで」

Shrines can be found *throughout* Japan.

（2）自由修飾句

描写を生き生きとさせるには、自由修飾句を使うと効果的である。「自由修飾句」とは、非制限的に名詞、あるいは動詞を修飾する手法であり、大別して3種類ある。その例は次の通りである（下線の部分）。

① 同格の名詞句を添える

Jiro is a Japanese boy, a typical shy teen-ager.

② 分詞構文を用いる（分詞句を添える）

The woman walked up the library stairs, carrying a large stack of books, bent forward at the waist, lifting her feet haltingly, and pausing to look up every few steps.

③ 付帯状態を表す独立分詞構文を用いる

The two steers backed away against the wall, (with) their heads sunken, their eyes watching the bull.

Exercise

指示にしたがって、1文に書き換えなさい。

1. I was a guide. I was a pathfinder. I was an original settler.

（同格の名詞句を使って）

2. George and Helen are in the park. They are walking in silence. They are dreaming of their future.　　　（分詞構文を使って）

3. The room was empty. Its door was left open.

(独立分詞構文を使って)

Let's Write

"My Dream Room" というタイトルでこんな部屋が欲しいという憧れの部屋を描写してみましょう。その際、その部屋の見取り図のスケッチも書いてみましょう。

3 比較・対照による説明文

　比較 (comparison) によって展開される説明文とは、2つ以上の事物の**「類似点」**(similarities) に着目して、論旨が展開される文章をさす。対照 (contrast) による説明文とは、2つ以上の事物の**「相違点」**(differences) に注目した文章である。

(1) 比較による説明文

　次に示す文章は、日本に造詣の深いコミュニケーション学の研究者である Dean Barnlund によって書かれたものであるが、彼はこの中で比較の手法を使って、日本とアメリカの類似点を説明している。2つの国の類似点を浮き彫りにするために、どのような表現方法が用いられているかに着目して読んでみよう。

Similar Features of Two Societies

Cultural patterns appropriate to nomadic life evolved over thousands of years; centuries were required to perfect the institutions and practices appropriate to life in small villages. The pace of change — of challenge to human flexibility — has continually accelerated; no longer evolutionary, providing sufficient time to create new social norms, it must now be described as revolutionary, suddenly confronting people with unforeseeable challenges to traditional ways of conducting human affairs.

Two modern societies that epitomize this revolution, the United States and Japan, are instructive case studies: Both have been in the vanguard in forming this new reality. They share a remarkable number of features. There are few physical differences visible upon arrival in Tokyo or New York: There are the same skyscrapers, same office buildings, even the same films playing in downtown theaters. Thousands jam the street, crowding onto buses and subway cars, clustering in bars and coffee shops, wearing similar clothing, and hurrying to similar deadlines.

This similarity is not a result of Westernization of Japan or Easternization of the United States, although there is influence in both directions. It is because modernization has followed a similar course in the two countries: Both are highly industrialized, exploiting every technical innovation to its fullest; both are populous nations with huge urban concentrations of people; in both large-scale institutions — industrial, financial, governmental, academic, medical — dominate the social scene; both cultivate high levels of specialization; both rely on the mass media to supply information and entertainment; both use sophisticated systems of transportation and communication; both have capitalistic economies and democratic political structures; both emphasize productivity and efficiency along with an accelerating pace of company life in mass society. Together Japan and the United States are nearly without equals with regard to productivity, accounting for a large proportion of the world's automobiles, computers, aircraft, ships, robots, cameras, and appliances. Although it is easy to become preoccupied with

differences, we should not disregard underlying similarities.
(Dean C. Barnlund, *Communicative Styles of Japanese and Americans*)

【語句】 **nomadic**「遊牧生活の」 **evolutionary**「発達(段階)の」 **revolutionary**「革命的な」 **epitomize**「集約する、縮図的に示す」 **in the vanguard ...**「...の陣頭に立つ」 **jam**「ぎっしり詰まる」 **exploiting every technical innovation to its fullest**「技術革新を徹底的に活用して」 **capitalistic**「資本主義的な」 **along with**「～と共に」 **without equals**「匹敵するものがなく」 **preoccupied with ...**「...に気をとられている」

内容理解のために

《問題》 この文章の構造をアウトラインの形で示すと次のようになる。抜けているところに語句を補って、アウトラインを完成させなさい。

I. 日本とアメリカはどちらもめざましい変化を成し遂げ、多くの点で類似している

II. 外観上の類似点
   A. 高層建築物
   B. ＿＿＿＿＿＿＿＿＿＿＿＿＿＿
   C. 映画
   D. ＿＿＿＿＿＿＿＿＿＿＿＿＿＿

III. 近代化が進められた結果としての類似点
   A. 工業化
   B. 人口過密(都市集中)
   C. ＿＿＿＿＿＿＿＿＿＿＿＿＿＿
   D. 高度な専門化
   E. ＿＿＿＿＿＿＿＿＿＿＿＿＿＿
   F. 整備された交通及び通信機関
   G. 資本主義経済と民主主義政治形態

第5章　英語の文章のジャンルとレトリック

H. _____
I. _____

=== レトリック ===

　比較によって展開される文章によく用いられるつなぎことばには、次のようなものがある。それぞれの使い方に習熟しよう。

① 句によるもの
- **Similar to** New York, Tokyo suffers from traffic jams and pollution.
- **Like** Australia, New Zealand is a former British colony and still belongs to the British Commonwealth.
- New York and Tokyo have several things **in common**.
- Tokyo **resembles** New York in many ways.
- Some characteristics of Tokyo **are comparable to** those of New York.
- **Common characteristics** of Tokyo and New York are the large number of people and tall buildings, among other things.

② 節によるもの
- **Just as** Romeo loved Juliet, Taro loves Hanako.

③ 文と文とを結びつけているもの
- Great Britain is an island country. Japan is **also** an island country.
- The United States considers Great Britain to be its "mother" country. **Similarly**, Japan regards China as its "mother" country.
- Smog was adversely affecting the air in Los Angeles. **Likewise**, sewage was damaging the water near Minamata.
- Many Americans love hamburgers. **In the same way**, one of the popular dishes in Japan is "onigiri," or rice balls.

(2) 対照による説明文

　次に示した文章は対照の手法を用いた説明文の例である。どのような表

現を使って、日本人とアメリカ人が対比されているかに気をつけて読んでほしい。

Personal Relations: Japan and the United States

In personal encounters many observers claim there are striking differences in the styles of the two cultures. Writers on Japan stress the strong ties to pivotal groups such as the family, school class, work group, and corporation. Americans, in contrast, are seen as maintaining looser and more provisional ties to others. The bonds that matter most in Japan are said to be less a matter of choice than of birth, school, or employment; a large proportion of marriages continue to be arranged by others. Personal relations in the United States are largely matters of choice, and they shift with the changing interests of the partners. Among the Japanese friendships are reportedly more comprehensive and more durable; with Americans they are held to be less comprehensive and less permanent, temporary alliances of tennis players, work colleagues, and photography enthusiasts who do not expect to share their lives totally. The Japanese are supposedly indifferent toward people they do not know, while Americans are more open and trusting of strangers.

Observers of both cultures claim the manner of conversation also differs. If Americans are often described as assertive, the Japanese are described as conciliatory; if Americans favor a rhetoric of exclusion, emphasizing differences, the Japanese favor a rhetoric of inclusion, emphasizing similarities of viewpoint. Where Americans indulge in overstatement and self-congratulatory remarks, the Japanese are said to be inclined toward understatement and self-depreciation.

Even with respect to verbal and nonverbal communication there appears to be some contrast in cultural styles: Among Americans there is great respect for the power of words, for eloquence of expression; among the Japanese there is a corresponding skepticism concerning the authority of words, with noble phrases seen as oversimplifying events. If clarity is the path to truth in one culture, ambiguity is more highly cultivated in the other. Where Americans emphasize the verbal code, what is said, the Japanese place their trust in tile nonverbal code, what is left unsaid. If intellect is an instrument of understanding for Americans, it is intuition that is valued among the Japanese. (Dean C. Barnlund, *Communicative Styles of Japanese and Americans*)

【語句】 **pivotal**「中心となる」 **provisional**「一時的な」 **alliances**「つきあい、提携」 **conciliatory**「融和的な」 **indulge in ...**「...を楽しむ、...にふける」 **self-depreciation**「自己卑下、謙遜」 **skepticism**「懐擬的態度」

=== 内容理解のために ===

《問題1》 下記のアウトラインの空いているところを補って、上記の文章のアウトラインを作ってみよう。

I. 人間関係のスタイルにおける日本人とアメリカ人の相違点
    A. 人間関係
        日　本　人： グループへの強い帰属意識
        アメリカ人： ＿＿＿＿＿＿＿＿＿＿＿＿＿
    B. 結びつき
        日　本　人： ＿＿＿＿＿＿＿＿＿＿＿＿＿
        アメリカ人： 選択による、変わりうる
    C. 友情
        日　本　人： 幅広い、長続きのする
        アメリカ人： ＿＿＿＿＿＿＿＿＿＿＿＿＿

3 比較・対照による説明文

　　D.　見知らぬ他人に対して
　　　　日　本　人：＿＿＿＿＿＿＿＿＿＿＿＿＿＿＿＿
　　　　アメリカ人：　寛大、開放的

II.　会話の仕方における日本人とアメリカ人の相違点
　　A.　アメリカ人：＿＿＿＿＿＿＿＿＿＿＿＿＿＿＿＿
　　　　日　本　人：　融和的
　　B.　アメリカ人：　相違点を強調
　　　　日　本　人：＿＿＿＿＿＿＿＿＿＿＿＿＿＿＿＿
　　C.　アメリカ人：＿＿＿＿＿＿＿＿＿＿＿＿＿＿＿＿、自画自賛
　　　　日　本　人：　控えめな表現、＿＿＿＿＿＿＿＿＿＿＿＿＿＿

III.　言語・非言語によるコミュニケーションのスタイルにおける日本人とアメリカ人の相違点
　　A.　アメリカ人：　ことばの尊重
　　　　日　本　人：＿＿＿＿＿＿＿＿＿＿＿＿＿＿＿＿
　　B.　アメリカ人：　明瞭さを重視
　　　　日　本　人：＿＿＿＿＿＿＿＿＿＿＿＿＿＿＿＿
　　C.　アメリカ人：　言語を重視
　　　　日　本　人：＿＿＿＿＿＿＿＿＿＿＿＿＿＿＿＿
　　D.　アメリカ人：＿＿＿＿＿＿＿＿＿＿＿＿＿＿＿＿
　　　　日　本　人：　直感を重視

《問題2》　「対照」の文章で、もう1つよく使われる手法として反意語（antonym）の多用がある。例にならって、（　）の中に本文中で使われている反意語を見つけて記入しなさい。

　　（例）　strong 対 loose
　1.　permanent 対　　　　　　　（　　　　　）
　2.　assertive 対　　　　　　　（　　　　　）
　3.　exclusion 対　　　　　　　（　　　　　）

第5章　英語の文章のジャンルとレトリック

4. similarities 対　　　　　　（　　　　　）
5. overstatement 対　　　　　　（　　　　　）
6. self-congratulatory remarks 対　（　　　　　）
7. respect 対　　　　　　　　　（　　　　　）
8. clarity 対　　　　　　　　　（　　　　　）
9. verbal 対　　　　　　　　　（　　　　　）
10. intellect 対　　　　　　　　（　　　　　）

── レトリック ──

対照による説明文に有用な表現には次のようなものがある。

(1) つなぎことば

① 句によるもの
- **Different from** the United States, Japan is a homogeneous society.
- **Unlike** English, Japanese often omits subjects in its sentence construction.
- **In contrast to** the United States, Japan is a homogeneous society.
- The United States **is distinguished from** Japan in many ways.
- Japan **is dissimilar to** the United States in many ways.

② 節によるもの
- **If** the Japanese value time, Americans treasure space.
- **While** Mary is good at playing the piano, Jane is a talented ballet dancer.
- My sister would like to live in an urban city, **but** I prefer rural life.

③ 文と文とを結びつけるもの
- Osaka has warm, mild winters. **On the other hand**, Asahikawa's winters are cold and severe.
- The Japanese tend to value harmony. **In contrast**, individuality is a key concept in American society.

- A lot of people told me that Mr. A was a kind person. **On the contrary**, I found him very mean.
- I like coffee better than tea. My sister, **however**, is a tea lover.

(2) 比較級によるもの
- Among the Japanese friendships are reportedly **more comprehensive and more durable**; with Americans they are held to be **less comprehensive and less permanent**.

Let's Write

次の中から1つトピックを選び、「対照」を表すエッセイを書いてみましょう。

1. Discuss the differences between a city life and a rural life.
2. Discuss the advantages and disadvantages of watching a movie in a theater and renting a DVD (*or* video) and watching it at home.

4　例証による説明文

　自分の伝えたい考えを、そのままことばに出したのでは抽象的すぎて読者にわかってもらえない。そこで、実例 (example) を用いると、書き手の訴えたいアイディアが鮮明に形をおび、読者に訴える力も増してくる。

　1つの論文の中でいくつの実例が適切かは、題材の難しさ、論文の長さなどによってまちまちである。非常にいい実例が1つあれば、それで事足りることもあり、数個の実例が望ましい場合もある。また、数が多ければそれでいいというものでもない。あなたの考えを力強く、そして論理的に示すもののみに絞って提示すべきである。

　次の例文を読んで、どのような実例で筆者の主張が裏打ちされているか

第5章　英語の文章のジャンルとレトリック

考えてみよう。

Gaijin

It is now much less unusual than it was twenty or thirty years ago for a Japanese to have close foreign friends. For such Japanese the friends are not merely *gaijin*, but have names, and distinctive virtues and feelings. They know that despite the difference in nationality, these friends are worthy of affection, generosity, and respect. Most Japanese, however, never develop such friendships. Some find the language barrier too great to surmount; others simply never have the chance to go beyond casual encounters.

It is almost always assumed, for example, that foreigners have no comprehension of the Japanese language. This conviction extends to almost every aspect of daily contact with foreigners. I notice this almost every day. The young men and women passing out cards with notices of *kodan jūtaku* almost never give me one. One would imagine that they would be eager to pass out all the cards as quickly as possible, regardless of whether or not the recipient could read Japanese but, being conscientious Japanese, they do not wish to waste a card on someone who cannot read it. Not long ago two young women were passing out such cards at the Sukiyabashi corner in Tokyo. They were chatting with each other and not paying much attention to who took their cards. One of them held out a card towards me, but just as I reached out to take it, the other woman said, "Gaijin yo!" and the card was withdrawn. To tell the truth, I am not interested in *kodan jūtaku*, but all the same I feel somehow discriminated against when everyone except me gets a card.

Yesterday I had a similar experience. A woman started to ask me street directions, but when she got a better look at my face, she stopped in the middle of her question with her mouth still open. It was exactly as if she discovered that she had been asking a question of an inanimate object, or of a non-human being like a cat or a dog. As a matter of fact, I knew the answer to the question she started to ask. I was faced with a dilemma: should I follow her game and act the part of a foreigner who does not understand a word of Japanese? Or should I say something sarcastic that might result in her treating foreigners like human beings in future? But even as I debated these possibilities she found someone else to ask. I was glad that the other person (a Japanese) did not know the answer to her question.

The assumption that foreigners can never learn Japanese is so strong that even people who know that I have been studying Japanese for forty years do not believe I can read or write the language. People who give me their *meishi* often search for five minutes in their wallets for one in *romaji*, even if their names are as easy to read as Tanaka Ichiro or Yamada Masao. Last year I published a study of Japanese diaries called *Hyakudai no Kakaku*. While it was being serialized in a newspaper, people constantly informed me, as if confessing their shame, that they had never heard of some diaries. It was natural that they should not have heard of diaries which are so obscure that they are not mentioned in detailed dictionaries of Japanese literature. I knew about such words because I am a specialist in Japanese literature, which they are not; but when it comes to anything written in Japanese, it is tacitly assumed that every Japanese, regardless of age or profession, will know more than any foreigner. (Donald Keene, *Living in Two Countries*, 朝日出版社)

第5章　英語の文章のジャンルとレトリック

=== 内容理解のために ===

《問題1》　筆者がこの文章で一番訴えたいことは何であろうか。文中から抜き出しなさい。

_____
_____

《問題2》　この主張を支えている実例が本文中に3つ述べられている。それらを書き出しなさい。

実例1: _____
_____

実例2: _____
_____

実例3: _____
_____

以上の3つの力強い例証により、筆者の主張は見事に読者に伝わってくる。

=== レトリック ===

例証を表す文で使われる表現には次のようなものがある。それぞれの表現に習熟しよう。

① 　最初の実例を示す時によく使われる表現

- Take, for example . . .
- Consider . . . , for example.
- One example of . . .
- One thing . . .

- To begin with . . .

② **2番目の実例を示す時によく使われる表現**
- Another example of . . .
- An additional example is . . .
- Another thing is . . .

③ **最後の実例を示す時、強調するために使われる表現**
- A final example is . . .
- The most important example of . . .
- The most significant example of . . .

④ **その他**
- to illustrate; to substantiate; let me illustrate; let me explain

Let's Write

次の中から1つを選び、エッセイを書いてみましょう。なお、どちらかの立場を選び、その主張を裏打ちする「実例」をいくつかあげて、自分の考えを述べるようにしましょう。

1. Technology has made the world a better/worse place to live in.
2. Computers/cell phones have made our lives more complicated/convenient.
3. (　　　　　) is the best place to live in.

5　分類を表す説明文

物や人などをその特性によって、いくつかのカテゴリーに区分していくのが分類 (classification) である。分類では、区分の基準が何かを明確に

第5章　英語の文章のジャンルとレトリック

することが大切である。また、基準が決まりいくつかのカテゴリーに区分されたならば、次にはポイントを定めて、複数のカテゴリー間の類似点、相違点を明らかにする必要がある。たとえば、人間を区分するには、いろいろな基準が考えられる。「年齢」を基準とすれば、乳児期、幼児期、少年期、青年期、壮年期、老年期というカテゴリーに分けられ、各時期に位置する人間の身体的、性格的特徴などにポイントを置いて、類似点、相違点を論じることができる。また、「地域」を基準とすれば、西欧、東洋、中東などのカテゴリーに分けられ、各地域に住む人々の生活、文化という側面から類似点、相違点を説明することができる。

下記に示したのは、世界中の宗教の分類の仕方を説明した文章である。どのように分類が行われているか、その表現方法に注意して読んでみよう。

Classifying Religions

Since "world religions" became an academic field of study in the last century, researchers of religion have classified the different religions of the world in many different ways. Over time, however, a few different ways of classifying have become popular, and these will be introduced here.

The most common <u>separation made between</u> religions is that between religions that are *theistic* and those that are *non-theistic*. Theistic religions are those that have a divine person (God) or persons (gods) with whom human beings interact. <u>This classification includes</u>, for example, Christianity, Hinduism, Islam, Judaism, Shinto. Most people who come from the West are very familiar with this kind of religion, and some even misunderstand it to be the only kind of religion. In nontheistic religions, the object of belief is usually seen in some kind of impersonal form — as, for example, a power, a process, a liberating truth, or way of being. This category includes, for example, Buddhism, Confucianism, Jainism, and the humanistic aspects of Judaism. Nontheistic religions are also sometimes extended to include quasi-religious movements, such as communism and humanism, which teach nontheistic views of the world.

The next major distinction made in religions is that between *ethnic religions* and *universal religions*. Ethnic religions bind people together by ancestry and culture. In contrast, universal religions seek converts across the lines of kinship and culture, and try to unite them into a holy community on the basis of their teachings. Ethnic religions can be further divided into *simple* and *complex*. Simple ethnic religions are mainly primitive tribal religions of nonliterate peoples. Complex ethnic religions are often national religions, which are found in urban centers and literate cultures. Some complex ethnic religions are living, and others are dead. For example, the state religions of the ancient urban civilizations of Egypt, Greece, Rome, and South America have gone out of existence. Living ethnic-national religions include Confucianism, Shinto, Hinduism and Judaism.

The third major distinction made between religions is that between *established religions* and *new religions*. Established religions have lasted over time; they have survived the death of their founders and everyone else who had contact with them. Established religions can be further divided into *dominant* and *minority*. Dominant religions are relatively large and play a major part in the well-being of their society. Minority religions are on the margins of society in their power and influence, and have usually suffered from persecution, but nonetheless have continued to last a long time. New religions exist during the lifetimes of their founders and all those who had contact with the founders. Once a religion persists beyond the lifetime of the founder and his/her original disciples, they are no longer considered new. Most new religions offer personal salvation as a way for people to escape from the spiritual emptiness that affects their generation. Usually these religions are founded by a charismatic leader who reveals the saving truth.

　Although these categories are helpful for understanding religions, it is also true that there are very few religions that fit exactly into any category. For example, most theistic religions also include nontheistic aspects, such as when Christians attribute sacred spiritual power to an object. At the same time most nontheistic religions include theistic aspects, such as in Buddhism, when Amitabha Buddha is treated almost like a god. The same kinds of ambiguities can be seen with the other categories as well.　(By Charles Muller)

【語句】 **theistic**「有神論的な」 **quasi-religious**「擬似宗教的な」 **converts**「改宗者」 **kinship**「親族、血族」 **teachings**「教義」 **well-being**「幸福、安寧」 **persecution**「迫害」 **salvation**「救済」 **attribute A to B**「AがBに属する」 **ambiguities**「あいまいさ」

内容理解のために

《問題》　この文章の構造を示した下記のアウトラインの中で、下線の部分に適当な例や説明を本文中から選んで記入しなさい。

I. 世界中の宗教を分類する方法はいくつかある。

II. 神の存在の有無［分類の基準 ①］
　　A. 神とあがめるものが存在する
　　　　例：＿＿＿＿＿＿＿＿＿＿＿＿＿＿＿＿
　　B. 神とあがめるものが存在しない
　　　　例：＿＿＿＿＿＿＿＿＿＿＿＿＿＿＿＿

III. 民族固有のものか普遍なものか［分類の基準 ②］
　　A. 民族宗教：同一の祖先や文化に限定する

1. 単純: 未開民族の宗教
   2. 複雑: 国家と結びついたもの
      a. すでに消滅したもの
         例: _____
      b. いまだに存続している国家宗教
         例: _____
   B. 普遍的宗教: 民族にとらわれず、だれでも改宗することで入れる
IV. 既成宗教か新興宗教か [分類の基準 ③]
   A. 既成宗教: 創始者とその関係者の死後も長く続いているもの
      1. 優勢派: _____
      2. 少数派: _____
   B. 新興宗教: カリスマ的指導者のもと自己の救済を求める
V. まとめ: こうした分け方は絶対的なものでなく、見方によってはいくつかの項目にまたがって分類される宗教もある。

―― レトリック ――

(1) 「分類」を表す文章でよく使われるつなぎことば
① カテゴリー分けをする時に用いるもの
- We can **divide** communication **into** three basic kinds **according to** who uses them.
- Communication **falls into** three types **in accordance with** who uses them.
- We can **classify** music **into** three groups.
- The first group includes ...
- The next group includes ...
- The last category includes ...
- Finally, there is a type that ...

第5章　英語の文章のジャンルとレトリック

② それぞれのカテゴリーに分けられたものの類似点と相違点を示す時に用いるもの
- like (unlike); similar (dissimilar)
- In contrast, . . .
- その他「比較・対照」のさまざまな表現（p. 96, p. 100 参照）

③ それぞれのカテゴリーに入るものの例を示す
- For example, . . .
- . . . is an excellent example for this category.
- . . . is typical of this group.

(2) 分類の基準

　分類を行う際には、個々の事物を何を基準にして分類するかが大切であるということはすでに述べた。同じ事物でも、基準によって、違った分類を行うことができる。

　次に8つの都市をあげたが、これらの都市の分類の仕方はいくつか考えられる。アウトラインの形で分類の仕方を示してみよう。

> 芦屋、大阪、川崎、神戸、高崎、彦根、前橋、横浜

I. 分類の基準：　地域
　1. 関東にある都市
　　　A. 川崎　　　B. 高崎　　　C. 前橋　　　D. 横浜
　2. 関西にある都市
　　　A. 芦屋　　　B. 大阪　　　C. 神戸　　　D. 彦根

II. 分類の基準：　県庁の有無
　1. 県庁所在地である都市
　　　A. 大阪　　　B. 神戸　　　C. 前橋　　　D. 横浜
　2. 県庁所在地でない都市
　　　A. 芦屋　　　B. 川崎　　　C. 高崎　　　D. 彦根

5 分類を表す説明文

このように、分類を行う時には、基準を明確にする必要がある。

Exercise

次に示した国々について、分類を用いて説明しようとした場合、どのような分類の仕方が考えられるだろうか。分類の基準を考え、空欄を埋めてみよう。

> United Kingdom, Australia, Spain, Argentina, Canada, Mexico, New Zealand, Chile

I. 1. ＿＿＿＿＿＿＿＿＿＿
   A. United Kingdom　　B. Spain
   C. Canada　　　　　　D. Mexico
2. ＿＿＿＿＿＿＿＿＿＿
   A. Australia　　　　　B. Argentina
   C. New Zealand　　　D. Chile

II. 1. ＿＿＿＿＿＿＿＿＿＿
   A. United Kingdom　　B. Australia
   C. Canada　　　　　　D. New Zealand
2. ＿＿＿＿＿＿＿＿＿＿
   A. Spain　　　　　　　B. Argentina
   C. Mexico　　　　　　D. Chile

III. 1. ＿＿＿＿＿＿＿＿＿＿
   A. ＿＿＿＿＿＿＿＿＿＿
      1. United Kingdom　　2. Canada
   B. ＿＿＿＿＿＿＿＿＿＿
      1. Spain　　　　　　2. Mexico
2. ＿＿＿＿＿＿＿＿＿＿
   A. ＿＿＿＿＿＿＿＿＿＿

第5章 英語の文章のジャンルとレトリック

     1. Australia   2. New Zealand
 B. _____
     1. Argentina   2. Chile

Let's Write

次の中から1つ選び、「分類」を表すエッセイを書いてみましょう。

1. means of transportation（bus, train, airplane, boat, etc.）

2. means of mass media（newspaper, radio, TV, etc.）

3. kinds of music（classical, rock'n'roll, soul, pops, etc.）

---

6 原因と結果を表す説明文

 物事を原因と結果という因果関係の観点から説明するのが、「原因と結果」を表す説明文である。

Global Warming

 The 20th century was the period during which the consumption of fossil fuels became the predominant method of producing energy. Although scientists warned about the possible side-effects of over-usage of petroleum products, it seems that in the 21st century, we are now beginning to directly experience some of these negative effects.

 While air pollution in our major cities has already been a serious problem for some time now, we are now experiencing broader side-effects — those related to the phenomenon known as "global warming." Global warming occurs when there is an excess of carbon gases in the atmosphere, and these gases serve to allow the heat from the sun's rays to penetrate the atmosphere, at the same time preventing it from leaving. The effect is similar to that seen in a gardener's greenhouse, and thus, this is called the "greenhouse effect."

Scientists believe that it is because of the greenhouse effect that the average temperature of the earth has been rising year by year. At first, many government leaders rejected this theory, but now, as the effects grow, it becomes harder to deny. The first effect is the most obvious. As average temperatures rise, we experience warmer seasons. Of course, the summers are hotter in most places, but the change is usually more noticeable in the winter, as many regions that used to experience snow and freezing conditions every year haven't seen snow for a long time.

Warming is also especially noticeable in the extremes of the northern and southern hemispheres, where the Arctic and Antarctic glaciers are rapidly melting. This melting is upsetting the ecosystems of these areas, thus bringing the danger of extinction to the species of wildlife that live there and an end to the livelihood of local peoples who depend on that wildlife.

The rising temperatures also bring about changes in world weather patterns, which are closely related to ocean currents. The recent changes in the Pacific Ocean current known as El Niño have result in weather changes that have brought extreme drought to some areas and heavy floods to others.

The rise in temperature also prevents the death of bacteria that commonly die in the cold of winter. Therefore, the chance for epidemics is increased.

Still, the government leaders around the world, especially those in the countries that produce the most greenhouse gases, have been slow to act, showing more concern about the needs of the large industries that are the main producers of the gases. We hope they don't wait too long! （By Charles Muller）

【語句】 fossil fuels「化石燃料」 predominant「優勢な」 penetrate「突き通る」 glaciers「氷河」 ecosystems「生態系」 ocean currents「潮流」 El Niño「エル・ニーニョ現象」 epidemics「流行病の流行」

内容理解のために

《問題》 上の文章の原因とその結果の関係を整理するため、空所に当てはまる語句を本文中から拾い出して、表を完成させなさい。

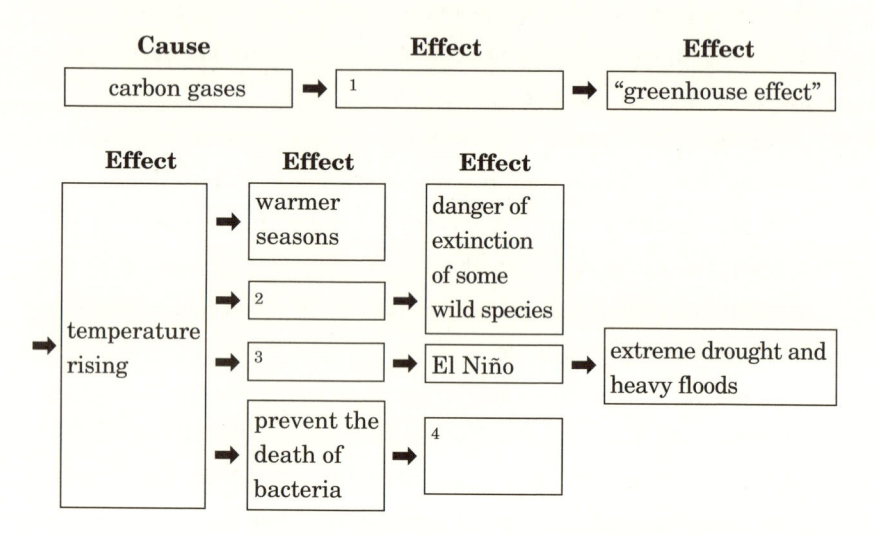

Cause		Effect		Effect
carbon gases	→	1	→	"greenhouse effect"

temperature rising →
- warmer seasons
- 2 → danger of extinction of some wild species
- 3 → El Niño → extreme drought and heavy floods
- prevent the death of bacteria → 4

「原因と結果」の文章を書く時の注意としては、因果関係を正しく見極めるということである。Aが起こる前にBがあったとしても、Bが必ずしもAの原因になっているとは考えられない。たとえば、ある人がカラスにガアガアとすぐそばで鳴かれるという体験をし（A）、しばらくしてから交通事故にあってしまった時（B）、AはBの原因であるとは決して言えない。そのように、ことが時系列に起きることと、原因—結果の関係であるかどうかということは、別問題であり、原因—結果の関係であるためには、

それなりの明らかな証拠が必要となる。

レトリック

「原因と結果」によって展開される文章によく用いられるつなぎことばには、次のようなものがある。よく習熟しておこう。

① 句によるもの

原因が主語になっているもの。
- A heavy rainfall may **result in** a flood.
- A heavy rainfall **is the cause of** the flood.

結果が主語になっているもの。
- The flood **is due to** the heavy rainfall a couple days ago.
- **The consequence of** the heavy rainfall is the recent flood.
- The recent flood **is attributed to** the heavy rainfall last week.
- **The first effect** of cigarette smoking is that it is likely to **lead us to** lung cancer.

② 節と節をつなげるもの
- I am busy today, **so** I cannot go to Tokyo Disneyland with you.（結果）
- Because (*or* Since) I am busy today, I cannot go to Tokyo Disneyland with you.（原因）

③ 文と文とをつなぐもの
- I did not study at all. **As a result**, I did not pass the English examination.（結果）
- I studied very hard. **As a consequence**, I passed the English examination and got an A.（結果）
- Tokyo has a large population. **Therefore**, it always suffers from traffic congestion and crowdedness.（結果）
- It is tremendously difficult to enter famous private junior high schools

in Japan. **Thus**, many elementary school students go to so-called "juku" to prepare for entrance examinations.（結果）
- I ate a lot of chocolate. **Consequently**, I gained more than 5 kilos this week.（結果）
- Dr. Hartwell always gives his students encouragement and help. **Hence**, many of his students respect him and appreciate his kindness.（結果）

Let's Write

次の中から1つを選び、「原因と結果」を表すエッセイを書いてみましょう。

1. cause (and effect) of increasing drop-outs from high school
2. effects of excessive dieting of young girls

7 過程を示す説明文

過程 (process) を示す説明文は一連の行為を段階を追って書くものである。まず、アメリカの結婚式にまつわる各ステップを紹介した次の例文を読んでみよう。

A Traditional American Wedding

<u>Soon after</u> that handsome hero pops the important question to his sweetheart, and she answers in the affirmative, the newly engaged couple must begin preparing for their wedding day. The date is usually set from twelve to eighteen months later in order to have enough time to spend on detailed preparations.

To start getting ready, the couple should discuss what kind of wedding they want: private — restricted to family members only; semi-formal, which is a late afternoon or early evening ceremony followed by a buffet dinner; or an evening candlelight service, the most formal, followed by a sit-down dinner for about 200 people.

Deciding the location of the ceremony is the next biggest step. Is it going to be in her hometown, his hometown, or the current place of residence? Church, chapel home or an infinite number of novel places, such as in the sea or on top of a mountain, await their decision. Churches, as well as many reception halls, usually have reservations full up to a year in advance for Friday nights and Saturdays, the most popular wedding days. Of course, having a wedding in a church usually requires several weeks of marriage encounter classes, so this time must be carefully scheduled as well.

After the location has been decided, the next step is to announce the engagement and ask friends and relatives to participate, either at the wedding party or just being well-wishers. This can be done by first purchasing the engagement ring, then surprising people with it. Another way to spread the good news is to put your wedding announcement in the local newspaper of both parties. This includes the date and place of wedding, parents' names, couples' academic background, current place of residence and employment, and a picture of the happy couple.

Now comes the busy weeks of planning the details of the ceremony. One should take the following procedures.

First of all, choose the theme colors for your wedding. These colors are usually the colors you have decided upon for the interior of your home. The same colors are usually used in choosing the items in the following steps; the invitation cards and thank-you notes, wedding party wear, flowers and reception decorations. The final steps are to choose the music, including organist and soloist; order the wedding cake; and make a pamphlet which describes the wedding and will be handed out as guests arrive at the church.

As the wedding approaches, so does the fun. The detailed plans will only need last minute touches the week or day before, such as picking up the ordered items or arranging for people to meet deliveries. This is the time when the couple enjoys going to special parties, called showers, which are thrown for them. The most special party is the dinner after the rehearsal for the ceremony, usually held the night before the wedding. Afterwards the groom is often dragged off somewhere for his bachelor party, where everyone will drink a lot of liquor and tell a lot of stories.

On the day of the wedding, after everyone is dressed properly, the wedding party poses for formal pictures in a back room or garden while the guests arrive. Meanwhile, the ushers, who are friends of the groom or brothers of each, show them where to sit.

Now it is time for the ceremony to begin. First, the organ music plays, or sometimes a soloist sings. Next, the organ begins the wedding march and everybody stands up. Then the wedding party starts down the aisle. The attendants go first, followed by the bride, who walks with her father. The groom does not walk down the aisle. He is already at the altar, waiting for his bride. The minister or priest performs the wedding, the bride and groom saying the important words "I do" in turn.

After the ceremony, everyone congratulates the happy couple with hugs or handshakes when they leave the church. The reception follows. Everyone eats and drinks; sometimes there is music and dancing. Guests make toasts to the bride and groom, and give them presents. Telegrams of good wishes from people afar are read aloud. Near the end of the reception, the bride throws her bouquet of flowers into the air, and all the single girls try to catch it. They believe that the girl who catches it will be the next one to marry. The groom does the same action with the bride's garter, which he first removes from her leg.

  As the final step of the wedding, the bride and groom leave in their car which has been decorated by their relatives and friends. As they leave, people will throw dry rice, flower petals or confetti to send them off safely. The honeymoon spot is the next stop, and is usually kept secret from well-wishers. That completes the wedding.

(By Kim Mary Sano)

【語句】 **pops the important question to his sweetheart**「恋人にプロポーズする」 **novel places**「目新しい、変わった場所」 **marriage encounter classes**「結婚式の前に教会において行われる教会主催の勉強会」 **is dragged off**「引っ張られていく」 **saying the important words "I do"**「"誓います"と言う」 **confetti**「紙吹雪」

内容理解のために

《問題1》 上の文のアウトラインを完成させよう。

I. Initial planning
   A. Types of wedding
   B. Location of wedding
   C. Announcing the engagement
      1. _____
      2. Putting announcement in the newspaper

II. Details of preparation
   A. _____
   B. Choosing the music
   C. _____

D.　making a pamphlet

III.　The week preceding the ceremony
　　A.　Last minute preparation
　　B.　_____

IV.　The day of the wedding
　　A.　Getting dressed
　　B.　Ceremony
　　C.　_____
　　D.　Leaving on a honeymoon

《問題2》　日本の結婚式とどのような違いがあるであろうか。気がついたことを話し合ってみよう。

■「過程」を表す文章を書く上で大切なこと
①　読み手を意識する
　まず書き始める前に、読み手（audience）はどの程度自分が書こうとしているトピックに対して知識があるのかということを知っておく必要がある。読み手のことを知ることによって、文中に何を含め、何を省くか、また、どの程度深く言及すべきかがわかってくる。この例文の場合、書き手はアメリカ人で、読み手は日本人という設定である。したがって、筆者はアメリカ人であれば当然知っていることであっても、その事情を知らない日本人のために、随所で説明を試みている。たとえば、第1パラグラフにおいて婚約から結婚までの期間を twelve to eighteen months と具体的に数字をあげている。それは、「十分な期間」という概念が日米間で異なると筆者には予想されていたからである。

②　順序を時間的配列にする
　「過程」を表す文章というのは、あることに到達するまでの過程を説明するものであるから、そうした過程を行われる順に表すべきで、したがって、

時間的配列をとる。そういう意味では、この章の初めで扱った物語文の手法と重なる部分が多いが、「順序」がより重視されるのは「過程」を表す文章の方だと言える。

③ 過程を完結させる

　筆者が書こうとしているものに必要なすべての過程（process）を網羅することが大切である。何か大切な過程を省いてしまったのでは、読み手に誤った情報を与えてしまうことになる。

　この例文の場合、プロポーズで始まってハネムーンで終わっているので、American wedding のすべての過程を網羅していると言える。

④ 目新しいことばや珍しいことばには定義づけを行う

　「過程」を表す文章では、やり方の知らない読み手にそのプロセスを教えるというのが一番の目的であるので、不明な点があっては何にもならない。したがって、読み手が理解できそうにないことばを使用する際には、その後の説明が必要である。

⑤ 必要があれば、各ステップの理由づけを行う

　「過程」を表す文章というのは、あることに到達するまでの過程をただ単に並べるだけでなく、それぞれの過程がなぜ必要なのかという論理的根拠を提示することも大切である。理由づけをきちんとすることになり、読み手がその過程を省くことがないようにさせることができる。

レトリック

　「過程」を表す文章でよく使われるつなぎことばについては、文中に下線で示してある。何よりも順序を明確にすることが求められるので、時間的配列を示すつなぎことばが多く使われる。p. 86 のレトリックを参照してほしい。

Let's Write

　次の中から1つ選び、「過程」を表すエッセイを書いてみましょう。

第 5 章　英語の文章のジャンルとレトリック

1. how to make *tempura* (*sukiyaki*) （外国人に説明するつもりで）
2. how to stop hiccups （効き目のある方法を知っていたら）
3. how to impress your teacher (boyfriend, girlfriend)

8　論証文

　論証文の一番の目的は、自分の考えを読み手に受け入れてもらうよう「説得する」ことである。argument（論争）があるということは、意見を異にする2つの立場があることが前提となっている。そして、argumentation（議論＝論理をつくして相手を説得すること）を通して自分と異なる考えを持つ相手を説得し、相手の考えを変えさせることがこの種の文章の目的である。したがって、論証文では、自分の考えを述べ、反対意見を覆すために、極めて緻密な論理構成が要求される。

　それでは、どのような論理構成をとったらよいだろうか。この節では、例文を見る前にまず論理的な文章構成についての予備知識として、論証の基礎となる2つの論法を下記のレトリックのセクションで紹介する。

レトリック

　すべての論証文のもとになっているのは、次の2種類の論理構成法である。

1. 帰納法（inductive reasoning）
2. 演繹法（deductive reasoning）

帰納法の例は次のようなものである。

Apple A is green, hard and sour. （Aのりんごは青く、固くてすっぱい）
Apple B is green, hard and sour. （Bのりんごは青く、固くてすっぱい）
Apple C is green, hard and sour. （Cのりんごは青く、固くてすっぱい）

Apple D is green and hard. Therefore, it will be sour.
　　　　　　（D のりんごは青くて固い。したがって、すっぱいだろう）

つまり、固くて青いりんごは酸っぱいという結論に至ったのである。

上記の例のように、帰納法というのは、いくつかの個々の具体例（specific）から、一般的な考え（general）を導き出すというものである。図示すると次のようになる。

具体例 1 ┐
具体例 2 ─→ 一般的な見解（= 結論）
具体例 3 ┘

それに対し、演繹法の場合は、普通次のような三段論法（syllogism）により議論が展開される。

All human beings are mortal.　—大前提（major premise）
　（人間は皆死ぬものである）
Tom is a human being.　　　　—小前提（minor premise）
　（トムは人間である）
Therefore, Tom is mortal.　　　—結論（conclusion）
　（ゆえに、トムも死ぬのである）

つまり、演繹法の場合は、まず一般法則（generalization）を立て、それをある個別のケースに当てはめるという論法である。ここで注意しなければならないのは、小前提の立て方である。

つまり、

$$A = B,\ C = A\ \rightarrow\ \therefore C = B$$

であるならばいいのであるが、これを誤って次のようにしてはならない。

All human beings are mortal.　　（人間は皆死ぬものである）
Tom is mortal.　　　　　　　　（トムは死ぬものである）

Therefore, Tom is a human being. （ゆえに、トムは人間である）

$$A = B,\ C = B \rightarrow \therefore C = A$$

これでは、論理にかなっていない。誤った結論が導き出されてしまう。また、語の使い方についても注意が必要である。

Some vegetarians eat eggs.　（菜食主義者の中には卵を食べる人もいる）
John is a vegetarian.　　　（ジョンは菜食主義者です）
∴John eats eggs.　　　　　（ジョンは卵を食べる）

これは、some vegetarians という言い方に問題がある。John が some vegetarians に入っていない可能性もある。この場合、大前提を all vegetarians と変えることによって論理的な三段論法になる。

以上の説明は、論理の流れとして基本的なものを紹介したもので、実際のエッセイの場合は、このように単純な論理構成でなく、これらを応用した形で論理が構築されている。

それでは、実際の論証文を見て、論理構成、説得力の有無について調べてみよう。下の例文は、"Do you think TV commercials should be banned totally?" というタイトルで書かれたものである。

A

　The decision whether or not to ban television commercials has two totally different sides. To some people it would be fantastic and to others it would be the worst thing in the world. The people who have jobs in dealing with television commercials obviously do not want to lose their jobs, and therefore, do not want to see TV commercials banned. The average person who watches television would love to see commercials banned. They feel that they are boring and take up a lot of the time from their program. I am on the side of the people who do not want TV commercials to be banned.

　First, I feel greatly for the people who may lose their jobs if television commercials are banned. One little two-minute television commercial actually employs many people. Such people are the actors and actresses, the writer, the producer, and the many other people dealing with the product and the set. I never want to see people lose their jobs, if it is not necessary.

　Another reason that television commercials are good is that they inform the people what products are new and which are improved. If a new product were to come out and no commercials did any advertising, the product would be utterly unknown. The only way people would know about this product was if they actually saw it in the store.

　Third, besides commercials advertising products, there are many other important commercials. They now have commercials on the air which make people aware of such terrible things as drunk driving. These commercials are a great benefit to the average person.

　All in all, I feel that there are a great number of advantages in keeping commercials. They are very informative and needed.

【語句】　**feel for** ～「～に同情する」　**drunk driving**「酒気帯び運転」　**benefit**「利益」　**informative**「情報を与える、有益な」

=== 内容理解のために ===

《問題》　下記のアウトラインを完成させなさい。

I. 序論
　　A. テレビコマーシャルを存続させるべきか、廃止にするべきかという問題に関しては2つの異なる論点がある
　　　（題の定義づけ。論争点を明確に読み手に伝える働き）

第 5 章　英語の文章のジャンルとレトリック

　　　　1.　1 つの論点：＿＿＿＿＿＿＿＿＿＿＿＿＿＿＿＿＿
　　　　2.　もう 1 つの論争点：＿＿＿＿＿＿＿＿＿＿＿＿＿
　　B.　＿＿＿＿＿＿＿＿＿＿＿＿＿＿＿＿＿＿＿＿＿＿＿＿
　　　　（自分の主張を明確に打ち出す）

II.　第 1 の理由：　コマーシャル作りに携わっている人の多くが失業する
　　　　　　　　　から
　　サポート：＿＿＿＿＿＿＿＿＿＿＿＿＿＿＿＿＿＿＿＿＿＿
　　サポート：＿＿＿＿＿＿＿＿＿＿＿＿＿＿＿＿＿＿＿＿＿＿

III.　第 2 の理由：　コマーシャルは製品についての知識を提供してくれる
　　　　　　　　　から
　　サポート：＿＿＿＿＿＿＿＿＿＿＿＿＿＿＿＿＿＿＿＿＿＿
　　サポート：＿＿＿＿＿＿＿＿＿＿＿＿＿＿＿＿＿＿＿＿＿＿

IV.　第 3 の理由：＿＿＿＿＿＿＿＿＿＿＿＿＿＿＿＿＿＿＿＿
　　サポート：＿＿＿＿＿＿＿＿＿＿＿＿＿＿＿＿＿＿＿＿＿＿

V.　結論：　コマーシャルを存続させるに足る十分な利点がある。
　　　　　（自分の考えを要約する）

　この筆者は、導入部で論争点の定義づけを行い、その上で、自分の立場を明確にしている。さらに、自分の立場をサポートし、自分の意見の方が優れていることを示すために、3 つの理由をあげている。その 3 つの理由について十分なサポートを与えている。これだけしっかりと理由づけがなされていると、この筆者の主張は読み手を説得するのに十分であろう。

　もう 1 つの例文を見てみよう。これも、"Do you think TV commercials should be banned totally?" というタイトルで書かれたものである。

B

　I do not love, or even like, TV commercials. I do recognize, however, why there is such a thing. The advertising of product(s) pays for the production of the programs we watch. As far as I know, there are two other alternatives to commercial television: cable or pay TV, and viewer-supported TV.

Cable-TV features the same type of programming as commercial TV. However, it requires a monthly fee plus availability of cable service.

Viewer-supported TV also features programming like commercial TV, but the quality tends to be better, mainly because viewers are more selective and because their contributions, plus those of private conglomerates, dictate the programming. The restrictions placed on programming by contributions from megabucks organizations does not limit what the private sector watches. If one does not contribute money to viewer-supported channels, it does not preclude one's watching, but the danger of losing the option altogether is omnipresent (as we are so often reminded).

The choices, then, are to pay directly or indirectly. For those who do not have immediate access to cash, cable-TV is out; and ethically, so is viewer-supported TV. The only option left that has not been exercised is federally funded TV. This might release us from having to watch commercials, or paying monthly fees, or being petitioned (economically and morally) to subsidize programming. However, I shudder at the thought of government-run television. I would worry about freedom of speech, of artistic expression, and mostly from manipulation of a whole that is greater (and more terrifying) than the sum of its parts.

The answer is NO. I do not think commercials on TV should be banned totally; I would, though, like to see them more tastefully done, and with more consideration for the intellect of the American public. It amazes me that reputable companies lend their names to such tripe-filled programs, and also that consumers spend their

第5章　英語の文章のジャンルとレトリック

dollars for these companies' products. It is a vicious cycle, but it could, my parents always told me, be worse.

【語句】　alternative「代案」　viewer-supported TV「視聴者が支援するテレビ局」　conglomerate「複合企業」　megabuck organization「巨大企業」　omnipresent「どこにでも存在する」　manipulation「操作」　tripe-filled「くだらない内容でいっぱいの」　vicious cycle「悪循環」

―― 内容理解のために ――

《問題1》　下記のアウトラインを完成させなさい。

I.　序論：コマーシャルは番組制作のコストを負担している。

II.　コマーシャル廃止の代案（1）：
　　_____

III.　コマーシャル廃止の代案（2）：
　　_____

IV.　コマーシャル廃止の代案（3）：
　　_____

V.　結論：コマーシャルは廃止されるべきではない。

　例文Bの筆者は、第1パラグラフにおいて論争点の定義づけを行なって、論点を明確にしている。すなわち、コマーシャルは番組制作のためのコストを負担しているのであるから、コマーシャルをやめるとなれば他の方法でコストを負担しなければならない。第2パラグラフと第3パラグラフにおいてその代案を検討したところ、どれも良くない。したがって、コマーシャルを廃止するわけにはいかないという、論理の展開の仕方である。
　例文Bの場合も代案を論破しての結論であるから、説得力のある論証であると言える。

《問題2》 上記の例文AとBがとっている論理展開は、どちらが演繹法でどちらが帰納法であろうか。

どちらの論理展開でも論が通っていればよいのであるが、英語の論証文の場合は、先に自分の立場を明確にして、それを論証していくタイプのAの論理展開、即ち演繹法の方が好まれる場合が多い。

■論証文を書く際のポイント
論証文では決まりきった1つの構成（organization）というものはないが、以下のものがその典型である。

- 第1のステップ：
  A. 論争のポイントを明らかにする。
  B. この論争の背景知識を述べる。
  C. その上で自分の主張をはっきりと打ち出す。
- 第2のステップ：
  自分の主張を裏付けるいくつかの理由（reasons）を述べ、それぞれの理由に十分な論拠（support）や証拠（evidence）を提出する。論拠として有効なのは、① 統計などの数字、② 専門家の意見、③ 多くの事例、などである。
- 第3のステップ：
  自分の意見と反対の意見の論点を論破する。
- 第4のステップ：
  結論として自分の主張を要約して繰り返す。

具体的な書式としては、次のようなアウトラインを利用するとよい。

[基本的な論証文の構造]
1. **Thesis statement**（主題文）： 設問で提示された話題に関し、自分のとる立場を明確にする。
   - I agree ... / I disagree ...

第5章　英語の文章のジャンルとレトリック

> ● I would rather ...
> 2. **Pro argument**（賛成意見）①:　第1の理由（First, ...）
>   ↑具体的理由づけ
>   　↑実例
> 3. **Pro argument** ②:　第2の理由（Second, ...）
>   ↑具体的理由づけ
>   　↑実例
> 4. **Pro argument** ③:　第3の理由（Third, ...）
>   ↑具体的理由づけ
>   　↑実例
>   （必要があればさらに理由を加える）
> 5. **Con argument**（反対意見）+ **refutation**（反論）:　反対意見になぜ自分は同意できないかを述べ、自分の意見の優位性の論証を試みる。
> 6. **Conclusion**（結論）:　今までの意見をまとめ、自分の主張をもう一度強調する。
>   ● In conclusion, ...

ここで注意したいのは、論証文の究極の目的が、「反対意見を論破（refute）し、自分の意見の優位性を認めさせる」ということであっても、論破するのはあくまでも「相手の考え」であり、相手自身ではない、ということである。したがって、人格攻撃になるような陳述は避けたい。

■論証文に有効なつなぎことばと表現
① **自分の意見を打ち出す時に使うもの**
- In my opinion, ...　（私の考えでは）
- From my point of view ...　（私の考え方からすると）
- I believe ...　（...のように考える）
- I argue (*or* claim, contend) that ...　（...のように主張する）
- In my view, ...　（私の考えは）

- ... should ... （...すべきである）
- I support the idea that ... （...だという考えを支持する）
- I am for ... （...に賛成である）
- I disagree with the idea that ... （...だという考えには反対である）

② 理由を述べる時に使うもの

- The first (*or* second, third) reason is ... （第1の理由は...である）
- First and most important is ... （第1の理由であり最も重要なものは...である）
- That's because ... （その理由は...）

③ 根拠を示す時に使うもの

- According to ... （...によると）

④ 意味を明らかにするために使うもの

- In fact, ... （事実）
- As a matter of fact, ... （実際のところ）
- That is, ... （すなわち）
- In other words, ... （言い換えると）

⑤ 譲歩を述べる時(特に反論の際)に使うもの

- Even though, ... （...であったとしても）
- I cannot argue with ... （...という点に関しては異論はないが）
- While it may be true that, ... （...という点は真実かもしれないが）
- Admittedly, ... （...だとしても）
- Granted that ... （...だとしても）

⑥ その他の有益なボキャブラリー

次の語は論証文でよく使われるものである。辞書を引いて意味を確かめて、使えるようにしておこう。

fallacious, erroneous, misguided, infer, refute, contend, false, illogic, imply, absurd, bias, inaccurate, oversimplification, presumption, premise, contradict, contradictory, counterargument, inapplicable, incongruous, inconsistent, repudiate, unreliable

Let's Write

次の中から1つ選び、「論証文」を書いてみましょう。

1. Some people prefer to work for a large company. Others prefer to work for a small company. Which would you prefer?

2. Nowadays, food has become easier to prepare. Has this change improved the way people live?

3. Some movies are serious, designed to make the audience think. Other movies are designed primarily to amuse and entertain. Which type of movie do you prefer? （以上、TOEFL®のライティング・トピック例より）

9　TOEFL®のライティング・テスト

　すでによく知られているように、北米などの大学・大学院への留学をめざす人が受験しなくてはならないコンピュータ版TOEFL®（CBT）においては、これまで選択であったライティング・テストが、Structure Sectionに含まれ、受験者は全員ライティング・テストを受験しなくてはならなくなった。これまでのStructure Sectionの対策としては、文法問題を解くということで、受験勉強などで文法問題に取り組んできた日本人にとっては得点がしやすいセクションであったかもしれない。ところが、コンピュータ版TOEFL®の場合、ライティング・テストの得点がStructure Sectionの半分を占めるくらい、ライティングに比重がかけられている。言うまでもなく、TOEFL®のライティング・テストというのは、アカデミック・エッセイ・ライティングであり、これまで高校、大学であまりこうし

> **コラム: ある大学の試験問題例**
>
> 《問題》 次のトピックの中から1つ選び、制限時間内（2時間）で自分の考えを書きなさい。（300語以上書くこと・辞書持込可）
>
> 1. If you were in a position to employ a teacher, what would you want him/her to have? （もしあなたが、教師を採用する立場にいたら、どのような資質を求めますか）
>
> 2. Should the school year be extended? Discuss. （授業日数はもっと多くあるべきだと思いますか。考えを述べなさい）
>
> 3. As adults, we serve as role models for children. What are some of the most important issues in which we can serve as positive role models? Why? （大人は子供たちにとってのロール・モデルである。望ましいロール・モデルとして子供たちに自分を示すには、どのような点が最も重要だと考えますか。それはなぜですか）

たエッセイ・ライティングを学んでこなかった日本人にとっては、不利となりうる。

ではなぜ TOEFL® においてライティング・テストが必須になったかというと、北米などの英語圏の大学に入学すれば、日常的にかなりのレベルの英文を書かざるを得ないからである。大学の授業の試験では、選択解答式の設問のほかに、エッセイ・クエスチョン（essay question）と呼ばれる文章で答えを書くことが求められる問題が多く課せられる。その上、ターム・ペーパー（term paper）と呼ばれる英文のレポートの提出を課す授業が多くある。つまり、英文をすらすらと書くことができなければ、英語圏の大学で授業についていけないということである。

（1） ライティング・テストのトピック（出題文）

TOEFL® のライティング・テストのめざすところは「英語を母語として

第5章　英語の文章のジャンルとレトリック

いない人々に、与えられたトピックに関しての自分の考えを適切な英語で表現できる機会を与えることにある」とされている（*TOEFL Test of Written English Guide*, ETS）。ライティングのテストでは、短い質問（トピック）が問題文として出され、受験者はそれに関して30分でエッセイを書かねばならない。代表的なトピック例は次のセクションにあげてあるが、これらのトピックは受験者の母語によって有利・不利の差が出ないように、細心の注意を払って考案されたものである。

　トピックを見て、どのように答えたらいいか迷うこともあるかと思う。しかし、ここで強調したいのは、採点者の基準になるのは、受験者がトピックで出された問題に対し、「どういう考えを持っているか」（what）にあるのではなく、受験者がその問題を「どのようにまとめるか」（how）の方に置かれていることである。つまり、TOEFL®のライティングの採点者は、このエッセイを通じて受験者個人がどのような考えを持っているのかを判断しようとしているわけではなく、単に、書かれたエッセイの「完成度」を評価しているに過ぎない。つまり、アカデミック・エッセイにふさわしいとされる構成にのっとって、適切な表現を使用し、一貫性のあるエッセイが書かれているかを判断するわけである。したがって、TOEFL®の受験者がまずは心がけなければならないのは、次の点である。

① アカデミック・エッセイに求められる英文構成の鉄則
② 十分な文法力
③ 適切な表現力を養い、論理的で一貫性のあるエッセイを書けるようにする技術

　すなわち、本書を通して今まで養ってきたライティングの力を発揮するチャンスこそが、この TOEFL® のライティング・テストであるとも言える。

（2）　トピック例

　TOEFL®のライティング・テストに出題される問題は大きく分けて次の4タイプに分けられる。

9 TOEFL® のライティング・テスト

① **2つの相反する考えが示され、この両方の考え方について例を用いて議論した上で、自分はどちらを支持するかを理由とともに述べる。**
（例） Some people believe that the Earth is being harmed (damaged) by human activity. Others feel that human activity makes the Earth a better place to live. What is your opinion? Use specific reasons and examples to support your answer.
（ある人は地球は人間の行為により傷つけられていると考える。またある人は人間の営みにより地球は生活するのによりよい場所になっていると感じている。あなたはどう考えますか？　具体的な理由と例により、自分の答えを論証しなさい）

② **ある考えが示され、それについて、まず自分が同意するか否か決めた上で、自分の立場を具体的な理由と例を使って支える。**
（例） Do you agree or disagree with the following statement? Parents are the best teachers. Use specific reasons and examples to support your answer.
（次のような意見に対してあなたは賛成ですか、反対ですか。「親は最良の教師である」あなたの意見を具体例と理由を述べて論証しなさい）

③ **ある事柄に該当する事例を自ら提示し、それを選んだ理由を説明する。**
（例） If you could change one important thing about your hometown, what would you change? Use reasons and specific examples to support your answer.
（もしあなたがあなたの故郷の町のある1つの重要な点を変更できるとしたら、何を変えますか？　理由と具体例を使ってあなたの答えを論証しなさい）

④ **2つの事柄が提示され、この両者について具体例を使って、比較・対照をする。**（"Compare and contrast" type）
（例） Some people choose friends who are different from themselves. Others choose friends who are similar to themselves. Compare the advantages of having friends who are different from you with the advantages of having friends who are similar to you. Which kind of friend do you prefer for yourself? Why?

第5章　英語の文章のジャンルとレトリック

（ある人は自分と異なっている人を友として選ぶ。またある人は自分と似ている人を友にする。自分と似ていない人を友達に持つことの利点と自分と似ている人を友とすることの利点を比較しなさい。どちらの友をあなたは好みますか。その理由を何ですか）

　以上のいずれのタイプの問題であっても、TOEFL®のライティングでは自分の意見をしっかり持ち、その上で、説得力のある議論を構築する能力が問われているということが一番の特色である。

第6章

ライティングのプロセス:
資料収集から推敲まで

第6章　ライティングのプロセス：資料収集から推敲まで

　レポート、論文の課題はあらかじめ指定されている場合もあり、また自分で決める自由課題の場合もある。いずれにしろ、レポート、論文を書く上での第一段階は、自分の取り組みたいと思っているテーマに関する文献、資料を収集することである。集めた資料をもとに、テーマについての知識を広げるとともに、自分が扱うべき内容を絞り込む必要がある。

1　資料収集の3ステップ

資料収集にあたっては、次のステップを踏むとよいだろう。

(1)　第1段階：　まず自分が論文として扱おうとしているテーマに関して広範囲にわたって概略的な情報を与えてくれる資料にあたる。
(2)　第2段階：　テーマについて概略的な知識を得た後は、本格的に専門資料を探すためにその分野の百科事典的な文献を探し、専門的な知識を深める。同時に、各研究分野には、論文の要旨を載せている資料が編集されているので、それを参照して自分のテーマを絞り込む。
(3)　第3段階：　次いで、自分の研究テーマに関する専門的な文献にあたり、論文に引証できるようにする。

以下、この3段階の資料収集について眺めてみよう。

(1)　第1段階: 大まかな知識を得る

　特に指定されたテーマがなく自由に論文を書く場合、まず自分が取り組もうとするテーマについての概略的な知識が必要となる。
　たとえば、筆者らの専門である「ライティング教育」という分野で何らかのテーマのもとに論文を書くことになったとしよう。そのような場合、このテーマで大まかな情報を得るにはインターネットを活用するのが手っ取り早い。

1 資料収集の3ステップ

- 日本語で情報を得る場合： http://www.yahoo.co.jp/
- 英語で情報を得る場合： http://www.yahoo.com/
- 日本語・英語どちらも可： http://www.google.co.jp/

あるいは、一般的な百科事典を利用するのもよいだろう。百科事典は書籍の形となっているもののほか、CD-ROM 版、あるいはインターネットを通して契約すると一定期間使用ができるというネット版がある。以下の URL はオンラインで利用できるとても便利な百科事典のサイトである。

- http://www.britannica.com/
  Encyclopedia Britannica をインターネットを使って利用できるオンライン版。
- http://www.bartleby.com/65/
  Columbia Encyclopedia を利用して検索ができる。

また、国立情報学研究所が運営している Webcat Plus というサイト（http://webcatplus.nii.ac.jp/）も大変便利だ。Webcat Plus の「連想検索」は、自分が取り組もうとしているテーマに関するキーワードを思いつくままに打ち込むと、関連する図書を探し出してくれる。

たとえば、「外国語としての英語によるライティング」というトピックで論文を書きたいと思ったとしよう。まず Webcat Plus の検索機能を使って、関連するキーワードをインプットする。すると、図1が示すような関連図書が検索結果として得られる。

第6章 ライティングのプロセス：資料収集から推敲まで

図1　Webcat Plus による検索画面

（2）　第2段階: 専門分野の百科事典的な文献にあたる

　第2段階では、第1段階で行ったインターネットによる情報検索で得られた資料を図書館で入手するとよい。また、インターネットで特定の文献を見つけられなかったり、あるいはさらに別の文献を探したい場合は、図書館を利用することになる。図書館は資料の宝庫である。したがって図書館を上手に利用することは、論文作成にとって極めて重要な要因となる。
　第2段階では、専門分野についての百科事典的な文献にあたり知識を深めると共に、論文のテーマをさらに絞り込む作業を行うことが必要となる。
MLA Handbook for Writers of Research Papers, 6th ed（2003, pp. 283–295）は、こうした百科事典的な参考図書を各研究分野別に示しているので参照してみるとよいだろう。たとえば、"Language and Literature" の分野として紹介されている図書の中で英語関係のものは以下のようなもので

ある (pp. 289–290)。

LLBA: Linguistics and Language Behavior Abstracts. San Diego: Sociological Abstracts, 1974—.

MLA International Bibliography. New York: MLA, 1921—.

*

The Cambridge Encyclopedia of Language. Ed. David Crystal. 2nd ed. New York: Cambridge UP, 1997.

The Cambridge Guide to Literature in English. Ed. Ian Ousby. 2nd ed. Cambridge: Cambridge UP, 1994.

The Cambridge Guide to Theatre. Ed. Martin Banham. Cambridge: Cambridge UP, 1988.

An Encyclopaedia of Language. Ed. N. E. Collinge. New York: Routledge, 1990.

International Encyclopedia of Linguistics. Ed. William Bright. 4 vols. New York: Oxford UP, 1992.

Literary Research Guide. By James L. Harner. 4th ed. New York: MLA, 2002.

The New Princeton Encyclopedia of Poetry and Poetics. Ed. Alex Preminger and T.V.F. Brogan. Princeton: Princeton UP, 1993.

The Oxford Classical Dictionary. Ed. Simon Hornblower and Antony Spawforth. 3rd ed. Oxford: Oxford UP, 1996.

The Oxford Companion to American Literature. Ed. James D. Hart and Philip Leininger. 6th ed. New York: Oxford UP, 1995.

The Oxford Companion to Canadian Literature. Ed. Eugene Benson and William Toye. 2nd ed. New York: Oxford UP, 1998.

The Oxford Companion to Classical Literature. Ed. M. C. Howatson. 2nd ed. New York: Oxford UP, 1989.

The Oxford Companion to English Literature. Ed. Margaret Drabble. 6th ed. New York: Oxford UP, 1985.

第6章　ライティングのプロセス：資料収集から推敲まで

　なお、上記の例で最初に示されている *LLBA: Linguistics and Language Behavior Abstracts* は、言語学・言語教育の分野で出版された学術論文の要約を集めた雑誌である。このように、各研究分野では学術論文の要約（abstract）を集めた文献が出版されている。こうした文献は、実際に論文にあたる前に、その論文に書かれているおおよその内容を知る上で大変役立つので是非活用してみよう。要約を集めた文献には以下のようなものがある。

- *Abstracts in Anthropology* 　　　　　（人類学）
- *Biological Abstracts* 　　　　　　　　（生物学）
- *Chemical Abstracts* 　　　　　　　　（化学）
- *Psychological Abstracts* 　　　　　　（心理学）
- *Sociological Abstracts* 　　　　　　　（社会学）
- *Current Index to Journals in Education* 　（教育）

　図2は *LLBA* からの抜粋である（p. 532）。要約を読んで自分のテーマに関連がありそうであれば、論文の実物にあたることになる。

図2　*LLBA* からの抜粋

LL02488
　Fazio, Lucy L. (Dept Second Language Education, McGill U, Montreal [e-mail: lfazio@po-box.mcgill.ca]), **The Effect of Corrections and Commentaries on the Journal Writing Accuracy of Minority- and Majority-Language Students,** *Journal of Second Language Writing,* 2001, 10, 4, Nov, 235-249.
¶ This classroom-based experimental study examined the effect of differential feedback (corrections, commentaries, & a combination of the two) on the journal writing accuracy of minority- & majority-language students being educated in the same classrooms. Journal writing samples were collected from 112 students (46 minority-language & 66 majority-language) over a period of four months in four Grade 5 classrooms where the language of instruction is French. The two student groups were randomly assigned to feedback conditions, & feedback to writing was provided weekly. Extensive classroom observations were carried out with the aim of determining the pedagogical orientation of the French language arts lessons; individual interviews were conducted to tap the extent to which students attended to their feedback. For both student groups, results indicate no significant difference in accuracy due to feedback conditions. Outcomes are discussed in light of students' attentiveness to feedback & the pedagogical context of the study. 4 Tables, 31 References. Adapted from the source document.

(3) 第3段階: 専門的な文献を集める

　第3段階では図書館を利用することが必須となってくる。先の例で言えば、*LLBA: Linguistics and Language Behavior Abstracts*（2002）で調べた論文の要約（図2）を読んだところ、この論文が自分のテーマに関連がありそうだと判断した場合、次は図書館に出向き実際に論文そのものに目を通すことになる。

　そこで、以下、図書館の利用の仕方について簡単に触れておこう。

2　図書館を活用しよう

(1) オンライン目録で検索

　以前はカード目録を引くことにより文献を検索していたが、現在はほとんどすべての図書館が図書の目録をデータベース化し、コンピュータを利用してオンライン化した OPAC（Online Public Access Catalog）と呼ばれる目録を整備している。利用者が図書館のコンピュータの端末装置を操作することによって情報を得るシステムを採用している。

　先の図2で要約が示されている論文（Fazio, Lucy L., "The Effect of Corrections and Commentaries on the Journal Writing Accuracy of Minority- and Majority-Language Students, *Journal of Second Language Writing*, 2001, 10, 4, Nov, 235–249）を実際に読んでみたいという場合を想定してみると、以下のような手順で検索を行うことになる。図3に示したのは、専修大学図書館の OPAC の画面である。

[例]　論文の載っている学術雑誌名を入力し検索する。
① 「洋書」、「雑誌」の項目をクリックし、「書名」の欄に *Journal of Second Language Writing* と入力する。（図3）
② 書誌一覧が表示される。該当する雑誌名をクリックする。

第 6 章　ライティングのプロセス：資料収集から推敲まで

③　雑誌の収蔵場所を確認する。（図 4）

図 3　OPAC による検索画面

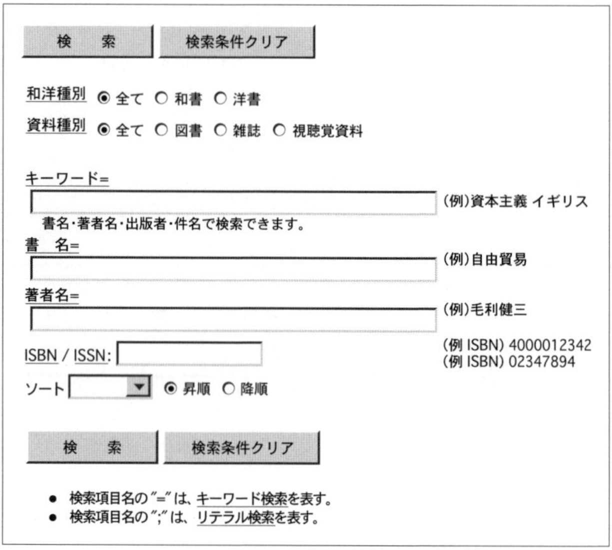

図 4　OPAC による書誌情報

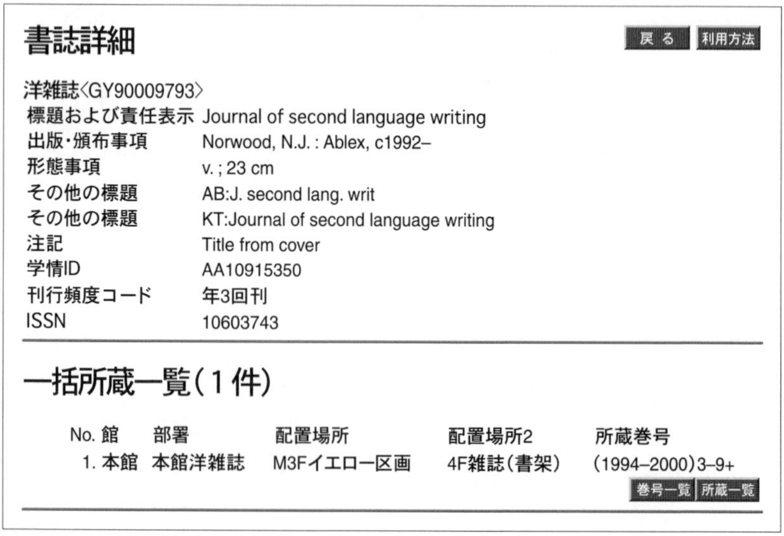

書誌詳細

洋雑誌〈GY90009793〉
標題および責任表示　Journal of second language writing
出版・頒布事項　Norwood, N.J. : Ablex, c1992–
形態事項　v. ; 23 cm
その他の標題　AB:J. second lang. writ
その他の標題　KT:Journal of second language writing
注記　Title from cover
学情ID　AA10915350
刊行頻度コード　年3回刊
ISSN　10603743

一括所蔵一覧（1件）

No.	館	部署	配置場所	配置場所2	所蔵巻号
1.	本館	本館洋雑誌	M3Fイエロー区画	4F雑誌（書架）	(1994–2000)3–9+

(2) レファレンス・サービスを積極的に利用しよう

　自分の図書館がめざす文献を所蔵していなかった場合でも、あきらめてはいけない。レファレンス・サービスを利用すると、自分の図書館にはない文献も入手することができる。それにはまず、① 入手希望の文献に関する情報と、② その文献をどこの図書館が所蔵しているかについて所蔵調査を行う必要がある。

　① については、図書の場合は書名、著者名、出版社名及び発行年、雑誌の場合は論文名、著者名、雑誌名、巻数(及び号数)、発行年及びページ数についての情報が必要となる。

　② については、NACSIS Webcat と呼ばれるオンライン目録を利用すると良い (http://webcat.nii.ac.jp/)。

　それでは、『英語ライティング論』という図書を探しているとしよう。

　NACSIS Webcat の画面を呼び出し、タイトル、著者名を入力すると、次のような画面が現れ、この図書を所蔵している図書館の一覧が表示される(図5、次頁)。

　入手したい図書・資料がどの機関にあるかについての情報を得たら、自分の大学の図書館のレファレンス・デスクを訪れてみよう。以下のような入手方法が考えられる。

① 目指す文献を所蔵している図書館への紹介状を発行してもらう。その紹介状を持って相手先の図書館を訪ね、目指す資料にあたることになる。
② 図書館相互で行われている相互貸借サービス(インターライブラリー・ローン)を利用する。このサービスにより、自分の大学の図書館を通して、雑誌に掲載された論文・記事については、その雑誌を所蔵している図書館からコピーを郵送してもらう文献複写を依頼することができる。ただし、コピーできるのは版権 (copyright) で許されている範囲に限られている。日本の図書館に探している雑誌がない場合は、海外

第6章　ライティングのプロセス：資料収集から推敲まで

図5　NACSIS Webcatによる所蔵図書一覧

```
NACSIS Webcat: 詳細表示

［利用の手引き］‖ ［検索画面に戻る］

英語ライティング論 : 書く能力と指導を科学する ／ 小室俊明編著＜エイゴ ラ
イティングロン : カク ノウリョク ト シドウ オ カガク スル＞. ─ (BA5458
8238)
　小金井 : 河源社
　東京 : 桐原書店(発売), 2001.11
　252p ; 21cm. ─ (英語教育研究リサーチ・デザイン・シリーズ ; 4)
　注記: 国内参考文献: p229-234 ; 海外参考文献: p235-246
　I S B N : 4342724251
　著者標目: 小室, 俊明＜コムロ, トシアキ＞
　分類: NDC8 : 375.893 ; NDC9 : 375.893
　件名: 英語教育 ; 英語 ─ 作文


所蔵図書館 56

　　　愛教大　外国 375.89||K74 01006785
　　　愛教大　図 375.89||K74 02001106
　　　愛大豊　図 375.893:Ko69 0111068592
　　　英知大　10236836
　　　関外大　375.89/Ko69 01-6824
　　　関西院大　三図書 420.7:284:4 0071676977
　　　関西院大　法 420.7:284:4 0003264207
　　　久留米信愛　9336927
　　　官公大　図 375.893/E37/4 100012041660
　　　京外大　478066
　　　京教大　図 375.893||K0 69 02102695
　　　京産大　375.893||K0M
　　　近大　中図 05046680
　　　熊大　005753675
```

の図書館から複写を取り寄せることも可能である。
③　図書の場合は現物を取り寄せてもらうこともできる。この場合は、取り寄せた文献は、自分の大学の図書館内でのみ閲覧することができる。

　情報通信の発達に伴い、文献の検索方法及び保管方法は毎年大きく変わってきており、今後もさまざまな変化が予想される。多くの図書館では、利用者に対して文献検索の仕方に関する講習会を定期的に開いている。こうした機会を利用すると共に、わからないことがあった場合は、とにかく何でも図書館員に尋ねてみることだ。彼らはコンピュータからは得られない多くの生の情報を与えてくれる。
　また、基本的な検索方法については、図書館の間で大きな違いはない。

したがって、自分の大学の図書館等で、日頃からコンピュータによる検索を何回も行い、基本的な操作方法を体得しておくことをお勧めする。

3 文献メモを作成すれば大変便利

　参考資料を入手し目を通した後にすべきことは、自分の文献メモを作成することである。

　メモを作成する場合、インデックスカードを利用すると便利だ。ノートに長々とリストを作成しておくと、後でリストの再編成ができないので不便である。カードを利用すると、後で、著者別に分ける、年代順に並べ換える、トピック別に分けるなど自由にカードを仕分けすることができるので大変便利である。あるいは、パソコンにメモを打ち込み保存しておくと紛失する危険を避けることができるだろう。

　このカードは、論文作成の最終段階で、論文の参考文献（bibliography）の欄に記載するために必要となるものである。第7章の「引用の仕方」「参考文献のスタイル」でも述べるように、参考文献の作成の仕方にはMLA方式とAPA方式があるので、どちらの方式を採ることになっても後で困らないように、網羅すべき事項はすべて忘れず、かつ、正確に書き留めるように注意しなければならない。また、そのほか、コールナンバー（請求番号）や相互貸借サービスの利用に備えて出典に関する事項も記入しておくと、後の利用にあたり便利である。次頁に示した「文献メモ」のサンプルを参考にしていただきたい。

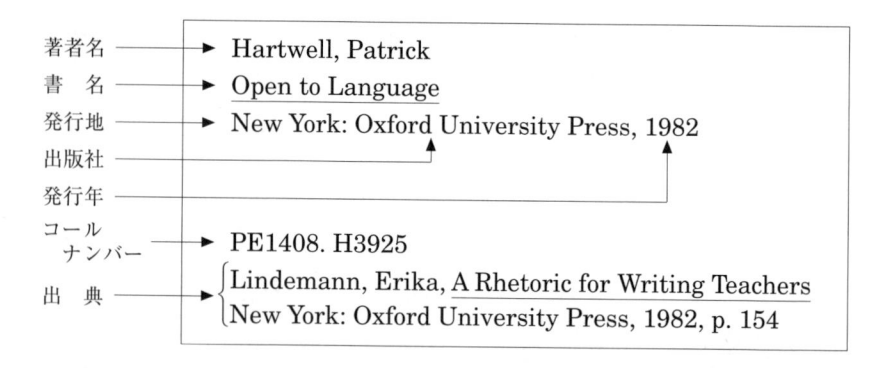

第6章　ライティングのプロセス：資料収集から推敲まで

```
著者名 ─────▶ Hartwell, Patrick
書　名 ─────▶ Open to Language
発行地 ─────▶ New York: Oxford University Press, 1982
出版社 ─────
発行年 ─────
コール
  ナンバー ──▶ PE1408. H3925
出　典 ─────▶ {Lindemann, Erika, A Rhetoric for Writing Teachers
              {New York: Oxford University Press, 1982, p. 154
```

文献研究にはインデックスカードを利用しよう

　関連すると思われる文献をメモした後は、実際に文献を手にして読み、その内容を検討しなければならない。実際に読んでみたら自分の研究課題には関係のないものであったとか、あるいは情報が不正確であったなどという場合には、文献リストから除去する。

　参考になりそうな文献であった場合にはメモをとる必要があるが、その際には、またインデックスカードあるいはパソコンを利用するとよい。メモは、面倒でも各文献について、(1) 逐語的メモ (verbatim note) と (2) 要約メモ (paraphrased note) の 2 種類を作成することをお勧めする。

① 逐語的メモ: 原文をそのまま引用したい場合

　逐語的メモを作成する時には、著者の原文を論文にそのまま引用したい場合に利用できるよう、句読点、スペリングなど微細な部分にまでわたって、正確に書き写さなければならない。不注意によるミスを恐れるならば、原文をコピーしてカードに貼るのも一案である。第 7 章の「引用の仕方」を参考にして、MLA 方式、APA 方式どちらの引用の仕方にも対応できるよう、著者名、書名、発行年、ページ数などについても書き落としのないように記載する。次頁に示したものは逐語的メモの一例である。このカードの見出しは、English Writing となっているが、各自最も整理しやすい見出しをつければよい。

3 文献メモを作成すれば大変便利

```
English Writing (verbatim note)

                Hartwell, Patrick
                Open to Language
                New York: Oxford University Press
                1982, p.22

We have explored three ways of putting ideas on paper, three
ways of improving fluency: free writing, journal-keeping, and
brainstorming.  We have reviewed the writing process –
prewriting, writing and revising – noting that many writers
"write themselves into" a topic, without formal prewriting.
We explained this creative ability by analogy with the skill of a
basketball player, who has internalized the movements that
make up the game.
```

② **要約メモ: 原文を自分のことばで要約しメモしたもの**

　要約メモは、原文を自分のことばで要約しメモしたものである。要約は面倒な作業であるが、原文の主旨を理解し、自分のトピックとの関連を明確にする上で重要な作業である。逐語的メモと同様、要約メモにも後の論文作成で必要となる著者名、書名、出版社、発行年、ページ数を忘れずに記載する。

```
English Writing (paraphrased note)

                Hartwell, Patrick
                Open to Language
                New York: Oxford University Press
                1982, p.22
Hartwell introduces three unstructured, informal ways of
discovering ideas in the writing process: free writing,
journal-keeping, and brainstorming.
```

　文献メモの作成は時間と手間のかかる億劫な作業と思われるかもしれない。しかし、メモを作成しておかないと、考えをまとめる、引用する、参考文献を書くなど論文作成のさまざまな段階で、毎回原典を読み返さなければならない。その苦労を考えれば、文献メモを作ることの大切さを理解していただけるだろう。

第6章 ライティングのプロセス: 資料収集から推敲まで

4　アイディアの発見法

　論文を書くにあたりテーマは与えられている、トピックも決まったとしても、いざ書き出そうとしても自分の言いたいことがわずか2, 3行で終わってしまいそうなことがある。そんな時、自分の書く内容に指針を与え、しかもアイディアを次々に生み出してくれる手だてとして、次のような方策をとるとよい。これらはインベンション（invention）と呼ばれる。

(1)　クラスタリング（clustering）

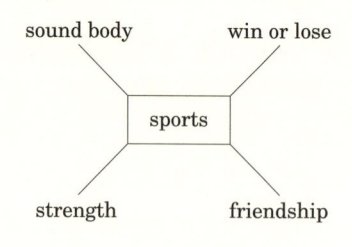

　ブレイン・パターン（brain pattern）とも呼ばれる。これは、自分の書こうとしているテーマを紙面の真ん中に置き、そこから思いつくことをどんどん枝分かれさせて書き込んでいくものである。図に書いているうちに、関連していることが次々に浮かんできて、自分が考えていた以上に書く内容を発展させることができる。

(2)　ピラミッド・パターン（pyramid pattern）

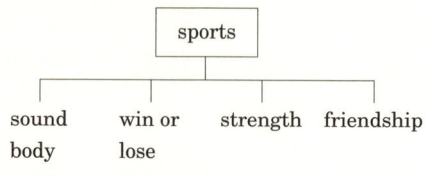

　自分の書こうとするトピックを一番上に置き、その下にそのトピックを支えている各テーマを配置していくものである。このピラミッド型を完成させると文章の構成がある程度はっきりしてくる。

（3） リスティング（listing）

　これは、自分が書こうとしていることを箇条書きにしてみることである。ただ、リスティングでは文章全体の構成については考えが回らない。いくつか出てきたアイディアをグループごとにまとめたり、アイディアの中でどれが一番おもしろいか、どの点とどの点が矛盾するかなど検討してみるとよい。

```
1. fun
2. health
3. team
4. …
5. …
```

（4） ブレイン・ストーミング（brainstorming）

　これは、数人のグループで行うもので、各自が自由に思いついたアイディアを出し合うことである。他人のアイディアに触発されて、さまざまなアイディアが浮かんでくる。

（5） 表で示す

　ある特定のタイプの文章の場合、表に記入することでアイディアが整理されやすい。

① 問題解決型の文章

　たとえば、あらかじめ「問題」がわかっていてその「解決策」を考える場合、下記のように同じページの上段に「問題」を書き、それを見ながら、下段に「解決策」のアイディアを書き込んでいくことができる。

```
problem/solution
[問題：        ]
問題の原因と考えられるもの
 ● _____
 ● _____
 ● _____
```

第6章 ライティングのプロセス：資料収集から推敲まで

```
考えられる解決策
 • _____
 • _____
 • _____
```

② 原因・結果の文章

また、ある原因とその結果を探るような場合、左右にその関係を記していくようにすると、因果関係がつかみやすく、文章化する時にも混乱がないだろう。

出来事	
原因 (Because of) ● ● ●	結果 (These conditions results in) ● ● ●

③ 比較・対照の文章

2つのものを比較・対照する文章では、それぞれの特徴を左右に書き連ね、その特徴の中で、似ているものにはたとえば丸をし、異なっている点に関しては下線を引くなどして、類似点と相違点を整理することができる。

Aの特徴	Bの特徴

似ている点を ◯ で囲む。異なっている点については下線を引く。
— and — are both . . . , but they differ in . . .
While — and — have . . . in common, they also . . .

(6) とりあえずのアウトライン(working outline)

これは(3)のリスティングと(2)のピラミッド・パターンを合体させて発展させたものであり、自分の書こうとする文章全体を図式化して見せてくれるものである。自分の主張したいアイディアに優先順位をつけたり、それぞれのアイディアをもっと発展させる必要があるのか、またそれぞれのアイディアの裏付けになる例証(supporting details)が十分か、それとももっと必要か、自分の主張と矛盾する点がないのかなどが、おのずとはっきり浮かび上がってくる。ここまでくるとインベンションも完了し、文章の組み立ても確固なものとなる。

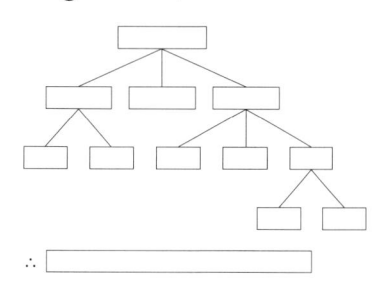

書き方としては、一番上の▭の中に、主題文(thesis statement)を書く。その下に、主題文を支持するアイディアを書く。そして、一番下に、この時点での結論を書く。そして、図の中にある要点それぞれが無理なく、論理的に配置されているか、矛盾点はないか、結論は妥当であるか、チェックしてみる。

(7) 正式なアウトライン(formal outline)

とりあえずのアウトライン(working outline)をもっと体系化し、一定の様式に基づいて書くものが、正式なアウトライン(formal outline)である。

いきなり頭の中で思いついたことを、そのまま書いていったのでは、優れた英語の文章にならないということは、前章で述べた通りである。実際に書き始める前に、自分が書こうとする文章の骨子を決めてから、書き始めることが必須である。そのために必要なのが、このアウトラインである。

アウトラインは文章の要点を体系的に整理するものである。つまり、文

第6章　ライティングのプロセス：資料収集から推敲まで

章の中での自分の述べたい要点（トピック）はいくつあるのか、その中でサブトピックはいくつあるのか、それを支持する具体例（details）にはどんなものがあるのか、そしてそれぞれのトピックはどのような論理的つながりを持っているのかなどを、明らかにする手がかりとなるものである。

　アウトラインを書くにあたっては、一定の様式があり、用いる数字、文字も決まっている。

```
                        タイトル
           主題文 (thesis statement)
           Main topic ― I.
                        II.
             Subtopics ― A. （アルファベット大文字）
                        B.
                        C.
               Details ―   1. （算用数字）
                           2.
             Specific details ― a. （アルファベット小文字）
                                b.
```

　アウトライン作成にあたっては、要点を簡潔に書くことが目的なので、それぞれの項目は文（sentence）ではなく、語句で表すことが多い。

```
                  タイトル（または主題文）
    I. 第1パラグラフのトピック・センテンス
       A. 上記のトピック・センテンスを支えるサブトピック
          1. サブトピックを支える具体例1
             a. 'A-1' を支える具体例（もしあれば）
             b. もう1つの具体例（もしあれば）
          2. サブトピックをささえる具体例2
             a. 'A-2' を支える具体例（もしあれば）
             b. もう1つの具体例（もしあれば）
       B. もう1つのサブトピック
```

```
            1.
                a.
                b.
            2.
                a.
                b.
    II. 第2パラグラフのトピック・センテンス
        A. ...
            1. ...
                a. ...
                b. ...
            2. ...
                a. ...
                b. ...
        B. ...
            1. ...
                a. ...
                b. ...
            2. ...
                a. ...
                b. ...
    III.
      :
      :
```

それでは，実際に文を読んでそのアウトラインを検討してみよう。

Camping in the Colorado Mountains

Helen and Jack were busy packing their car, getting ready to go on a camping vacation with their two children. They were going to drive in their car for two days to get from Minnesota to the high mountains of Colorado. Helen was getting the dishes, food, and clothing ready. Jack was putting the fishing gear in, making sure

第 6 章　ライティングのプロセス：資料収集から推敲まで

the car was in good condition, and had many maps and camping information in a small case in the front seat of the car beside him.

　All was ready, and after a night of very little sleep due to much excitement, they left early in the morning. Helen had planned interesting things to do on the way to Colorado for her two grade-school children. One was the Alphabet Game, where they found letters of the alphabet on signs along the road; they also sang camping songs together and had frequent snacks and drinks.

　About noon on the second day they started to see the outline of the high Rocky Mountains ahead. They had snow on the peaks. By late afternoon they had found their camping place. It was in a grassy place beside a small stream, and in a National Forest Campground. Each campsite was divided by rows of little pine trees and had a place for a campfire, outlined by rocks. The children saw little animals nearby, such as ground squirrels and chipmunks who liked to eat pieces of bread the children threw to them. After Helen cooked supper on the camping stove, they built a bright fire with the wood they gathered in the forest around them. Other campers came to talk to them, and soon they were talking with their neighbors as if they were old friends.

　Going to bed in the tent was always fun! They snuggled down in their sleeping bags, listening to the forest sounds — animals, wind in the pine trees, chirping of frogs, and quickly fell asleep. Camping in the high, cool mountains with Mother and Father was the best summer vacation the children could ever have! (by Hazel Hakes)

Outline
    I.　Busy with preparation
        A.　Packing
            1.　Helen: dishes, food and clothing
            2.　Jack: fishing gear, maps and camping information

        B. Making sure of the car condition
 II. On the way
        A. departure
        B. games
        C. songs
III. Campsite
        A. Description of the campsite
            1. location
            2. animals
        B. Activities
            1. cook
            2. talk with other campers
IV. Sleeping in the tent
        A. sleeping bags
        B. listening to forest sounds
        C. best summer vacation

(8) 質問をする

　アイディアを生み出す上で重要なのは、書きながら5W1H（Who, What, When, Where, Why, How）の質問を続けていくことである。自分を書き手から読み手へと立場を変えて、第三者として自分の書こうとしている論点に質問を投げかけるのである。すると、まだよくわかっていなかった点、もっと調べなくてはならない点、深める必要がある点などがおのずと明らかになっていく。以下に示すのは、そうした時に役に立ちそうな質問の数々である。

　たとえば、「昨年日本に最も影響を与えた事件」というトピックでレポートを書くことになったとしよう。このトピックを掘り下げていくには、図6の下線部を埋めていくとよいだろう。

第6章 ライティングのプロセス: 資料収集から推敲まで

図6　質問によるアイディアの発見法

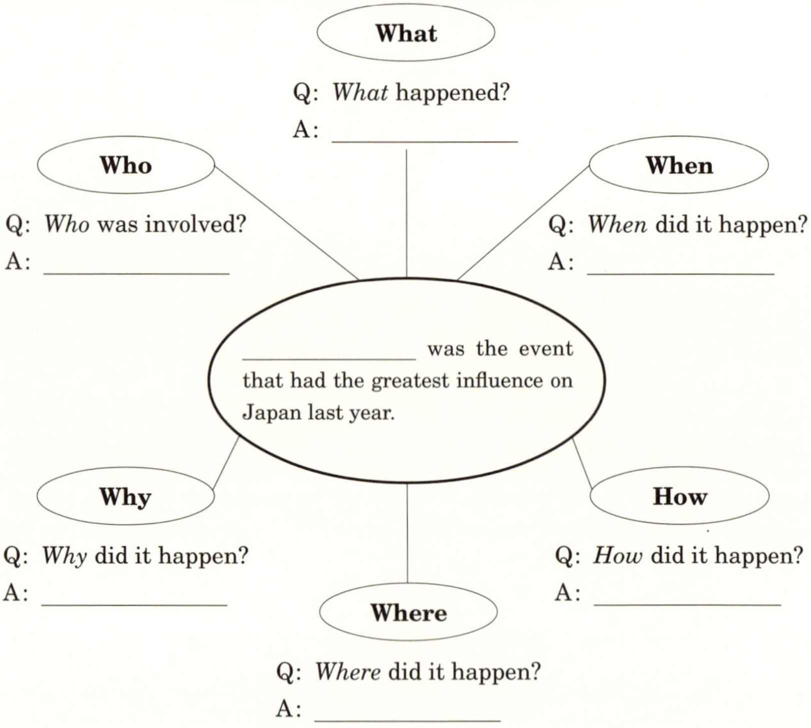

What
Q: *What* happened?
A: _____

Who
Q: *Who* was involved?
A: _____

When
Q: *When* did it happen?
A: _____

_____ was the event that had the greatest influence on Japan last year.

Why
Q: *Why* did it happen?
A: _____

How
Q: *How* did it happen?
A: _____

Where
Q: *Where* did it happen?
A: _____

　そのほか、「知識変形型」の文章を書き進める上で必要な思考態度と、それによって喚起される質問文一覧を以下に示す。

I. 物（physical objects）について

| 観察する | What are the objects' characteristics: shape, dimension, materials?
（その物体の特徴、すなわち形態・大きさ・材質は何か）

| 観察する | What sort of structure does it have?
（どのような構造をしているか）

| 比較する | What is it similar to?
（何に似ているか）

| 比較する | How does it differ from other things that resemble it?

(似ているものとそれはどう異なっているか)
| 調査する | Who or what produced it?
（誰がまたは何が作ったか）
| 分析する | What are its strengths and weaknesses?
（その物体の強みと弱みとは何か）

II. 出来事（events）について

| 観察する | Exactly what happened?（Who? What? When? Where? Why?）
（正確に何が［誰が、何が、いつ、どこで、なぜ］起こったか）
| 調査する | What were its causes?
（その原因は何であったか）
| 分析する | What were its consequences?
（その結果は何であったか）
| 比較する | How was the event like or unlike similar events?
（同様の出来事と比べてどのように似ているか、また異なっているか）
| 調査する | To what other events was it connected?
（他のどんな出来事と関わっているか）
| 分析する | How might the event have been changed or avoided?
（どのようにしたらその出来事は防ぐことができたか）

III. 抽象概念（abstract concepts, e.g. democracy, justice）について

| 調査する | How has the term been defined before?
（その語はどのように定義されてきたか）
| 分析する | How do you define the term?
（あなた自身はどのように定義するか）
| 比較する | What other concepts have been related to it?
（他のどんな概念が関連しているのか）
| 観察する | In what ways has this concept affected the lives of people?
（この概念が人間の生活にどのように関わってきたか）
| 評価する | How might the concept be changed to work better?
（よりよく機能するためにその概念を変えることができるか）

こうした質問を自らに問いかけることにより、内容が膨らみ、さらに広い視野から物事を考えることができる。つまり、第4章で述べた「知識変形型」の文章が書けるようになるのである。

5　下書きを書く上での心構え12箇条

次にあげるのは、下書き (draft) を書く際に心に留めておいてほしい12箇条である。

①　スケジュールを立てよう
提出期限はいつなのか、いつまでに下書きを完成したらよいのかなどについてスケジュールを立て、目につくところに張り付けておき、それに沿って進めるようにする。

②　下書き(草案)を書く
「4．アイディアの発見法」で紹介したインベンションを活用して、書こうとする内容の概要を書いてみる。

③　一度ですべて書いてしまおうと考えてはいけない
時間がたつとまた違った考えが浮かぶこともある。一度きりで書き上げようとしてはならない。

④　下書きにふりまわされるな
下書きはあくまでも下書きであり、それをずっと守ってその通りに書き進める必要はない。書きながら適当に変更を加えていくべきである。

⑤　アイディアをのがすな
せっかく思いついたアイディアも書き留めるのを忘れると、後で思い出すことができない。書いている本文と別のページに思いついたことを書き留めるスペースを用意しておき、書きながら思いついたことをどんどんメモしていくと、後でそうした考えを発展させる時、大いに役立つ。

⑥ 書き出したら必ず書き終えなければならないと考えるな

文章は冒頭から書き始めるべきで、ある1つの考えを最後まで全うしてから別のアイディアに移るべきだと堅苦しく考える必要はない。自分にとって書きやすいと思われるところから、ともかく書いてみることである。

⑦ 多めに書いておく

後で削るのは楽である。最初から多めに書いておくとよい。

⑧ 細かいところで行きづまるな

個々の単語の選択とか、文型の選択など細かいところで拘泥していると肝心なメイン・アイディアの方の行方があやしくなってしまう。細部は後からでも十分補えるものである。

⑨ 書き手の立場から読み手になって質問してみる

書くアイディアに行きづまったら立場を変えて読み手側に回り、4の(8)「質問する」(p. 157)で紹介したような質問をどんどん発してみるとよい。

⑩ 書いている段階ではまだ消し去ってはならない

どんなアイディアでも後で必要になるかもしれない。訂正したいと思う箇所も完全に消してしまわずに残しておこう。

⑪ 書き直す前に時間をとろう

アイディアがもっと出てくるかもしれない。書き終える前にゆっくり時間をかけて読み直そう。

⑫ 書き直しのためにスペースをあけておこう

書き直し(revision)のさまざまな方策については次節で詳しく述べる。そのためのスペースを残しておくと後で書き直しやすい。

第6章　ライティングのプロセス：資料収集から推敲まで

6　推敲とは何か

　私たちは下書きを書くことで原稿は仕上がったものだと考えがちである。しかし、ライティングのプロセスにおいては、さらに重要な作業が残っている。それは revision と呼ばれる推敲作業である。これまで、推敲、書き直しについては、十分な注意が払われず、その重要性はとかく無視されがちであった。

　Hartwell（1982）は、ライティングの捉え方には、2種類あり、各々次のような特徴があると述べている。

（1）　静的モデル（static model of writing）

① 書き手にとって書こうとする意味内容はすでに明確であり、ライティングとはそれを文字で表現する作業にすぎず、根本的に書き手中心の行為である。
② 原稿は最初から完全なものであるべきである。
③ 推敲を行うならば、その焦点は文法やスペリングの誤りを直すことである。

（2）　動的モデル（dynamic model of writing）

① 書き手は自分の意図している内容をいかに読者にわかりやすく書くかを目標とすべきであり、最終的にライティングは読者中心の行為とならなければならない。
② 下書きは書き手の意図をとりあえず書き表した仮のものであり、「下書き＝最終原稿」ではない。
③ 推敲は必要不可欠であり、その焦点は時には内容面に、また時には文法面にと、必要に応じて異なる。

　とかく、私たちは静的モデルでライティングに臨みがちである。文学的

才能にあふれた天才的人物であるならば、一度書いた即興的作品が立派な完成原稿となるだろう。しかし、私たちのほとんどはそのような才能に恵まれてはいない。そこで、私たちがしなければならないのは、推敲を繰り返すことによって、完成に向かい一歩一歩進もうとする動的モデルを身につけることである。私たちだけでなく、文章を書くことを職業としている人々の多くも、数回にのぼる推敲を重ねる作業を行っていると言われる。ことばの達人と言われる詩人の1人であるディラン・トマス（Dylan Thomas）でさえ、"Almost any poem is fifty to a hundred revisions"（およそすべての詩は50回から100回にものぼる推敲から成る）と述べている。

7　推敲の仕方

（1） 推敲をする際の基本的事項

推敲をするには、読者の立場に立って、つまり、客観的に自分の原稿を眺める必要がある。そこで、客観的に原稿を眺めるにはどうしたらよいか、推敲をする際の基本的事項について考えてみよう。

① 原稿をタイプする

手書きの原稿はパソコンを利用して活字にしてみよう。活字になると自分の原稿を客観的に眺めることができ、手書きの原稿を読み直しても気がつかなかった論理的矛盾点や誤りに気づくことが多い。

② 原稿はしばらく眠らせる

第1原稿を書き上げて、即座に推敲することはあまり効率的ではない。最低「一晩寝かせる」必要がある。原稿執筆に没頭していた自分をしばし原稿から解放させることは重要なことである。適切な表現が浮かばないとイライラしながら1日を過ごすよりは、むしろ思いきって原稿から離れてみるとよい。翌日、あるいは、数日経ってから原稿を眺めると、客観的に自分の原稿を眺めることができるようになり、思いもかけなかった新しい

アイディアや表現、あるいは誤りに気づくことがある。

③ 他人の目を通す

自分の原稿は、その内容を知っているため、意味を「読み込み」がちである。しかし、内容をまったく知らない第三者に読んでもらうと、論理的に飛躍したり矛盾したりしている箇所、説明の足りない部分、あるいは、細かいところでは、ミススペリングまで指摘してもらえる。レポート、論文を提出する前には、ぜひ友人、知人に助言を頼もう。

④ 原稿を音読する

視覚のほかに、聴覚も使うとよい。日本語で書いた原稿でも、音読すると、黙読では気がつかなかった誤りを発見することができる。さらに、余裕があれば、自分の原稿を音読し、第三者に意味の通じない点などを指摘してもらうとよいだろう。

（2） まずは内容面に、最後に表記面に注意して推敲しよう

推敲を行うに際し最も注意すべき点は、「意味の明確化」である。では、実際に推敲をするには、どのように行えばよいのだろうか。前述の動的モデルにしたがえば、推敲にもプロセスがあることがわかる。私たちの認知能力には容量の上で限界がある。一度にいろいろ多くのことを処理するのは不可能である。したがって、推敲をするにも、たとえば、内容と文法を同時に検討することは困難である。そこで、下記に示すように、数回にわたって推敲を行い、第1回目の推敲では内容を重視し（global revision）、次第に表記面に注意を払う（local revision）というように、推敲を重ね、各回異なる側面に注意を払うとよいだろう。

次に示したチェックリストは、動的モデルで捉えた推敲の仕方の一例であるので、参照していただきたい。

表1　推敲のチェックリスト

焦点		チェック項目
Global	内容	●トピックに関連することを述べているか。 ●読者にわかりやすいように、主題を明確に提示しているか。 ●主題を十分に発展させているか。 ●論旨は終始一貫しているか。
	構成	●序論（introduction）、本論（body）、結論（conclusion）という構成になっているか。 ●導入部には主題文が明確に書かれているか。 ●本論は主題文を十分に支持しているか。 ●結論部は主題文で述べられた内容を言い換え、文章全体を簡潔に要約したものとなっているか。 ●序論、本論、結論部はすべて主題と関連しているか。 ●各パラグラフにはトピック・センテンスが明確に書かれているか。 ●支持文はすべて主題と関連し、トピック・センテンスを十分に支持しているか。
	文	●各々の文は前後の文と論理的に自然な流れでつながっているか。 ●流れのある文章になっているか（つなぎことば、代名詞、時制の使い方は適切か）。 ●論理的で明確な文章になっているか（I が多用されていないか、代名詞が何を指しているかは明確か、中立的な表現が使われているか）。
	語彙	●適切な語彙が使われているか。 ●類義語は適切に使い分けられているか。 ●コロケーションは適切に使われているか。 ●フォーマルな（formal style）語彙が使われているか。 ●同一語の繰り返しはないか。 ●形容詞の並べ方は適切か。

第6章　ライティングのプロセス：資料収集から推敲まで

|文法|
|スペリング/パンクチュエーション|

- 自動詞と他動詞の混同はないか。
- 受動態は正しく使われているか。
- 時制は正しく使われているか。
- 不定詞、動名詞、that 節の使い方に混乱はないか。
- 主語と動詞は呼応しているか。

- スペリングの誤りはないか。
- コンマ、ピリオド、コーテーションマーク、コロンなど、パンクチュエーションは正しく使われているか。
- 引用、参考文献の記載は MLA 方式あるいは APA 方式にしたがって正しく行われているか。

Local

8　推敲の実際

　このセクションでは、実際に日本人学生 A と B によって行われた推敲の例を示す。下記に示した「推敲例 1」（サンプル 1 と 2）は、物語文（narration）を対象に学生 A が自分 1 人で行った self-revision の例である。
　「推敲例 2」（サンプル 3）は学生がペアを組み、お互いの原稿に対して意見を交換する方法で得られたコメントを参考にして書き直しを試みた推敲（peer-revision）の例である。先の 7 で原稿を「他人の目に通す」意義を述べたが、サンプル 3 を見ると、自分の仲間である学生からどんなに貴重な助言がもらえるかがわかるだろう。仲間からの助言により、サンプル 3 で示した学生 B の第 2 原稿は第 1 原稿に比べてはるかに内容の面で充実したものに変化している。

（1）　推敲例 1: 物語文

　学生 A は 図 7 を見て第 1 原稿を書き、翌週その原稿をより良いものにするために推敲を行い、第 2 原稿を書いた。サンプル 1 とサンプル 2 の違

いに注目してほしい。サンプル1ではスペリングなどの表記面（local revision）に焦点を当てたために、物語の内容面での発展が見られない。それに対して、サンプル2は、文法上の誤りは残っているものの、絵から得られた情報をより正確に伝えるために、詳しい説明を加えたり、より適切な表現を用いるなど、物語の内容面での充実が見られる。なお、サンプル内の訂正箇所は下線で示した。

図7　物語文の題材

(J.B. Heaton, *Composition through Pictures*, Longman, © 1966 J.B. Heaton)

第 6 章　ライティングのプロセス：資料収集から推敲まで

サンプル 1

第 1 原稿

It was going to start men's marason. Dick was sure winner. It started race. Dick was running top of the race. He had been sleep front of the tree because he was for the distance between he and another. He surprised when he standed up. He find that he was later than another. He ran hard. But he was last runner at all. He thoght last.

第 2 原稿

Yesterday It was going to start men's marathon. Dick believed winner then. It started the race. He was running top of the race from there. He had been sleep front of the tree because he was for the distance between he and another runners. He found that he was later than others. He ran more harder. But he was last runner at all. He thought last.

サンプル 2

第 1 原稿

It is held the marathon meeting of the school today. There are ten runners. During two young teachers are explaining the rule, the tallest boy say to the next one, "You'll never win the meeting. You are so short and not tough. I'll be the champion!"

When the sun comes up from the place, they set the form to start. He runs so fast that there is no one in his sight soon.

After keeping the top for three hours, he thinks. "No one can run faster than me! I can't see anyone behind me. I have enough time to take a rest to see the next runner. Then he stop running and goes on to the field following the course. He sleeps under a tree. The sun is comfortable.

When his eyes open, he shouts. "Oh, that's unbelivabl!" All the rest boys are running much farther than him.

He starts again in a hurry. He runs as fast as possible. When the sun comes down onto the mountain in the west, the shortest boy cuts the winning tape!

第2原稿

It is held the marathon meeting of the school today. There are ten runners who were chosen from each class. There are only boys in the school. While two young teachers are explaining the rule at the starting point, the tallest boy says to the next one. "You'll never win the meeting. Because you are the shortest and you are not as tough as I. I'll be the champion!"

When the sun comes up from the mountain, they set the form on a starting line. As soon as they start, the tallest boy comes to the top of all the boys. He runs so fast that there is no one in his sight in a few minutes.

After keeping his position for three hours, one idea occurs to his mind. "No one can run faster than I! I can't see anyone behind me. It's quite easy for me to win such a small meeting. So I have enough time to take a rest till I see the next runner. Yes, I can take a nap!" Then he stops running and comes on to the grass following the course. He sits under a tree and falls asleep. The sun gives a comfortable warmth to him.

When he opens his eyes, he can't help shouting to see the sight. "Oh, that's umbelievable!" All the rest of the boys are running much farther than he. Yes, he has slept too much!

第6章　ライティングのプロセス：資料収集から推敲まで

> He starts again in a hurry. He runs as fast as possible. <u>But it is hard to catch up with them even for him.</u> When the sun comes down onto the mountain in the west, the shortest boy cuts the winning tape!

　推敲を行う場合は、サンプル2のような意味の明確化につながる大局的な推敲をまず試み、その後で言語上の誤りを修正する局所的な構成に移るという順序で推敲を行うよう注意したい。

(2)　推敲例2: 論証文

　下記のサンプル3は "Which do you think is better, living in the country or in the city?" というトピックのもとに、学生Bが書いた論証文である。

サンプル3

第1原稿

　In my opinion, it is better to live in the country because to live in the city has a lot of problem. For example, chemical smog, air pollution, etc. Those are very harmful to our health. And I think the city is very noisy. There are many cars, trucks, buses, and pachinko-parlors! But in the country, there are a lot of green. So there are fresh air and very quiet.

　However, I cannot support everything about living in the country. I want to live between city and the country. Many companys are in the city, so if I live in the country and work there, those are far from the country and I have to take trains for many hours!

　Now I live in Itabashi ward and I want to live here forever because we have a lot of greens. I saw a wild raccoon dog! Itabashi is very near from Ikebukuro, Shinjuku etc. Here is the most suitable place for me, I think.

この第 1 原稿に対して、ペアを組んだ学生から与えられたコメントは次のようなものだった。

〈コメント〉
(1) トピック・センテンスでは "In my opinion, it is better to live in the country..." と述べているが、文章の半ばで "I cannot support everything about living in the country." と言っている。田舎に住む方を支持するのか、都会に住む方を支持するのか、どちらかの立場を明確にする必要があるのではないか。
(2) 冒頭のトピック・センテンスを支持する具体例をもっと入れた方がよい。
(3) 都会に住む者として、実際に経験した都会生活の問題点を盛り込むと説得力が増す。

このコメントに応える形で学生 B が書いたのが次に示す第 2 原稿である。仲間からのコメントに丁寧に応えることにより、第 2 原稿は、文法上の誤りは多少残ってはいるものの、第 1 原稿に比べて内容的にははるかに豊かなものになっていることがわかるだろう。

第 2 原稿における (2)、(3) で示した下線部は学生 B がペアを組んだ仲間からもらった 3 つのコメントのうちのどのコメントに応えた部分かを示したものである。(1) のコメントについては第 2 原稿全体が「田舎に住む方がよい」という立場で書き直しているので下線で示さなかった。第 1 原稿が都会での生活と田舎での生活の両者の立場で揺れ動いていたのに対し、第 2 原稿は終始一貫して田舎での生活を擁護しており、統一性のある文章となっていることは明らかであろう。

> **第 2 原稿**
>
> In my opinion, it is better to live in the country because to live in the city has a lot of problems: for example, chemical air pollution, and water pollution, etc. These are harmful for our health. (3)I know a lot of people who suffer from asthma or bronchitis. I also think that the city is very noisy. However, this "noise" does not mean the

noise caused by natural things (animals, birds, etc.) but caused by cars, buses, trucks or pachinko-parlors! On the other hand, the country is very quiet and calm. ⁽²⁾My grandmother lives in Kumamoto now, and there are a lot of greens, and we can hear birds singing and see a beautiful sky (there are a lot of stars shining beautifully.)

　⁽²⁾Recently, we can go to the city more easily and faster. My high school's teacher live in Ibaraki and she comes to school by limited express for an hour everyday. More and more companies or factories have moved to the country out of the city. Big shopping centers have been opened in the country too. Therefore, it is not hard to live in the country.

　Finally, I would rather live in the country and enjoy the rest of my life hearing birds singing. However, nowadays, we have many environmental problems. I believe that we have to pay more attention to our earth and maintain our nature.

　推敲の第一の目的は「意味の明確化」である。文法やスペリングを先に修正しても内容を大幅に変えた場合は、そうした修正は一挙に無駄になってしまう。教師から推敲のヒントをもらう teacher feedback、仲間からもらう peer feedback、自分で自主的に行う self feedback と、推敲を行うにはさまざまな形態がある。いずれにおいても、内容や構成を吟味する全体的な推敲をまず行い、その後で文法やスペリングなどの部分的な修正を行うというプロセスを経るよう、p. 165 で示した「推敲のチェックリスト」を参照しながら挑戦していってほしい。

引用の仕方、
参考文献のスタイル

第7章

第7章　引用の仕方、参考文献のスタイル

　第1章で述べたように、英語で論文を書く場合は、主観的ではなく「客観的」で論理的な書き方をしなければならない。この「客観性」を高める有効な手法は、他の研究者による研究結果や主張を引用することである。そうすることによって、あなたの主張が単なる一個人の意見や感想ではなく、信頼に値するものであることをアピールすることができる。引用する際に最も注意しなければならないのは、盗用（plagiarism）を決して行わないようにすることである。欧米における盗用に対する制裁は大変厳しい（第1章を参照）。したがって、以下に示す引用に関するガイドラインを熟読して、論文を書く時にはこのガイドラインにしたがって引用を行っていただきたい。

1　スタイル・マニュアル

　引用の仕方、参考文献の記載方法に関わる論文作成の手引き（マニュアル）として、英語圏で広く使われている代表的なものには、(1) MLA (The Modern Language Association of America) スタイルと (2) APA (American Psychological Association) スタイルの2種類がある。MLAは主として文学などの人文科学の分野で使われ、APAは心理学、教育学など社会科学系の分野で使われている。これら2種類のスタイルには多少相違点があるので、おのおののスタイルで規定されている基本的な方式をいくつか紹介したい。詳しくは、下記の文献を参照していただきたい。

(1)　MLA スタイル
- Gibaldi, Joseph. *MLA Handbook for Writers of Research Papers.* 6th ed. New York: The Modern Language Association of America, 2003.
- ジョゼフ・ジバルディ著、原田敬一監修、原田譲治訳編『MLA 英語論文の手引』（第5版）、北星堂書店、2002年（現時点では、日本語版は第5版までである）

(2)　APA スタイル

- American Psychological Association (2001). *Publication Manual of the American Psychological Association*. (5th ed.). Washington, DC: American Psychological Association.

2　引用の仕方

　引用は自分の主張が単なる主観的な判断ではなく、広い視野から見て客観的で正しいことを裏付けるための重要な手段である。しかし反面、おびただしい引用は読者を退屈させてしまう。さらには、論文全体が他人の意見のパッチワークであるかのような印象を与えてしまい、論文にとって最も大切な独創性を損ねる恐れがあるので注意をしたい。
　以下で MLA、APA それぞれのスタイルでの引用の仕方を眺めてゆきたい。

MLA スタイル

　ここでは、MLA スタイルによるさまざまな引用の仕方を例を示しながら具体的に紹介していく。可能な限り、引用例は下記の英文を原文とし、それに基づくものとした。
〈原文〉

> The fundamental difference between speaking and writing appears to be that writing is largely decontextualized. That is, writing is devoid of the kind of feedback that is available with oral messages. The relationship between speaker and listener is based upon common knowledge, whereas the shared knowledge between writer and reader is generally unknown. For this reason, writing is considered to be more difficult than speaking. (V. H. Scott, *Rethinking Foreign Language Writing*, p. 11)

第7章　引用の仕方、参考文献のスタイル

（1）　原文の一部をそのまま引用する場合
A.　著者名が本文に示されている場合
　引用部分をダブル・コーテーションマーク（" "）で囲み、文の最後にページナンバーを（　）をつけて示し、ピリオドを打つ。複数ページにまたがる場合は、（19–21）、（119–21）というように記す。
〈直接話法の場合〉

> Scott states, "The fundamental difference between speaking and writing appears that writing is largely decontextualized" (11).

〈間接話法の場合〉

> Scott states that "the fundamental difference between speaking and writing appears that writing is largely decontextualized" (11).

（間接話法にした場合は、引用文の語頭は小文字に変える）

B.　著者名が本文に示されていない場合
　文の最後に、ページナンバーと共に著者名を（　）の中に記し、ピリオドを打つ。

> One of the foreign language researchers during the nineties states "the fundamental difference between speaking and writing appears that writing is largely decontextualized" (Scott 11).

C.　引用部分が長い場合
　引用部分がタイプをして5行以上になる時は、本文から切り離す。引用部分は、本文と同じ行間で、本文の左マージンから1インチ（2.4 cm）あるいは10文字下げて打ち始める。通常引用部分はコロン（:）で導入する。1つのパラグラフ（あるいはその一部）を引用する場合は、引用部分は文頭を下げる必要はない。ページナンバーは（　）で囲んで示し、ピリオドは引

用部分の最後、（　）の前に打つ。

> Discussing how writing differs from speaking, Scott states as follows:
> 　　　　　The fundamental difference between speaking and writ-
> （1インチ　ing appears to be that writing is largely decontextualized.
> 2.4 cm）　That is, writing is devoid of feedback that is available
> （10文字）with oral messages. The relationship between speaker
> 　　　　　and listener is based upon common knowledge, whereas
> 　　　　　the shared knowledge between writer and reader is gen-
> 　　　　　erally unknown. For this reason, writing is considered to
> 　　　　　be more difficult than speaking. (11)

D.　原文の一部を省略する場合
①　引用文の中の語、句、節などを省略する場合
　ピリオドを3つ打って、省略したことを示す。原文とピリオドの間及びピリオド間は1スペース空ける。

> Scott states, "The fundamental difference between speaking and writing . . . is that writing is largely decontextualized" (11).

②　原文中の1文全部あるいは2文以上を省略する場合
　まず省略する前の文にピリオドを打つ。その後に1スペースずつ空けてピリオドを3つ打ち、残りの引用部分につなげる。

> Scott states, "The fundamental difference between speaking and writing appears to be that writing is largely decontextualized. . . . For this reason, writing is considered to be more difficult than speaking" (11).

E.　原文に変更を加える場合
　原則として引用箇所は原文を正確に再現したものでなければならない。

第 7 章　引用の仕方、参考文献のスタイル

しかし、時と場合によっては変更が必要になることもある。

① 引用文中のコーテーションマークを変える場合

本文中に取り入れた形（上記 A., B. の形）での引用文中のダブル・コーテーションマーク（" "）はシングル・コーテーションマーク（' '）に変える。

> Scott writes, "The concept of writing as a 'process' means that writing is a succession of actions undertaken to bring about some desired result" (31).

② 原文に誤りがある場合

原文のまま引用し、誤りの部分の後ろに（sic）と記す。sic とはラテン語で「原文のまま」という意味である。

> Etsuko Shimizu, a Japanese student, writes, "Writing in English is more difficalt (sic) than reading in English" (45).

（この例では、'difficult' が正しく、'difficalt' はスペリングの誤りである）

③ 引用すると原文中の語句が何を指しているのか不明確になってしまう場合

あいまいな語句が何を示しているのかを [　] の中に記して明確にする。

> Elbow says that "having to rhyme helped him [Frost] think of words and even ideas" (102).

（この例では、代名詞の 'him' が誰を指しているのか不明確であるため、Frost であることを明らかにしたものである）

④ 原文の一部を強調したい場合

原文の特定語句などを強調する場合は、下線を引き、引用の後に（emphasis added）と記し、原文に手を加えたことを明確にする。

> Scott argues that the fundamental difference between speaking and writing appears to be that writing is largely <u>decontextualized</u> (em-

phasis added).

(2) 原文の論旨を自分のことばで言い換え述べる場合

自分のことばで言い換えたとしても、アイディアが自分のものでない場合は、必ず原典を明確にしなければ盗用と見なされてしまうので、注意しなければならない。

> Scott (1995) argues that compared with speaking, writing lacks contextual information and thus more difficult to perform (11).

APA スタイル

先のMLAスタイルで見てきた引用についてのさまざまなケースを、APAスタイルではどのように規定しているかを紹介する。MLAスタイルと最も異なる点は、APAスタイルでは、発行年を必ず何らかの形で明記することである。そのほか、両者の間にはさまざまな違いがあるが、簡単に説明してみたい。

(1) 原文の一部をそのまま引用する場合

A. 著者名が本文に示されている場合

本文中に "in 2000" というように年が明記されている場合以外は、著者名の後ろに（ ）で囲んで発行年を示す。また引用した部分のページナンバーは (p. xx)、複数のページにまたがる場合は (pp. xx–xx) と記す。ピリオドは（ ）の後ろに打つ。

〈直接話法の場合〉

> Scott (1995) states, "The fundamental difference between speaking and writing appears to be that writing is largely decontextualized" (p. 11).

第7章　引用の仕方、参考文献のスタイル

〈間接話法の場合〉

> Scott (1995) states that the fundamental difference between speaking and writing appears to be that writing is largely decontextualized (p. 11).

（間接話法にした場合は、引用文の語頭は小文字に変える）

B. 著者名が本文に示されていない場合

引用の後に（　）で囲み、著者名、発行年、ページナンバーを示す。これら3つの項目はコンマで区切る。

> One of foreign language researchers states, "The fundamental difference between speaking and writing appears that writing is largely decontextualized" (Scott, 1995, p. 11).

C. 引用部分が長い場合

引用部分が40語以上の場合は、本文から切り離し、本文の左マージンから1/2インチ（1.3 cm）あるいは5スペース空けて、本文と同じ行間で打つ。引用部分の最後に (p. xx) という形でページナンバーを示す。ピリオドは引用部分の最後、（　）の前に打つ。

> In her book on foreign language writing, Scott (1995) states as follows:
>
> ⟵1/2インチ(1.3 cm)(5スペース)⟶ The fundamental difference between speaking and writing appears to be that writing is largely decontextualized. That is, writing is devoid of the kind of feedback that is available with oral messages. The relationship between speaker and listener is based upon common knowledge, whereas the shared knowledge between writer and reader is generally unknown. For this reason, writing is considered to be more difficult than

> speaking. (p. 11)

D. 原文の一部を省略する場合
① 引用文の中の語、句、節などを省略する場合
ピリオドを3つ打って省略したことを示す。原文とピリオドの間及びピリオド間は1スペースを空ける。

> Scott (1995) states, "The fundamental difference between speaking and writing . . . is that writing is largely decontextualized" (p. 11).

② 原文中の1文全部あるいは2文以上を省略する場合
まず省略する前の文にピリオドを打つ。その後に1スペースずつ空けてピリオドを3つ打ち、残りの引用部分につなげる。

> Scott (1995) states, "The fundamental difference between speaking and writing appears to be that writing is largely decontextualized. . . . For this reason, writing is considered to be more difficult than speaking" (p. 11).

E. 原文に変更を加える場合
① 引用文中のコーテーションマークを変える場合
MLAスタイルと同じく、ダブル・コーテーションマーク(" ")はシングル・コーテーションマーク(' ')に変える。

> Scott (1995) writes, "The concept of writing as a 'process' means that writing is a succession of actions undertaken to bring about some desired result" (p. 31).

② 原文に誤りがある場合
誤りの部分の後ろに [*sic*] とイタリック体で記す。

第7章　引用の仕方、参考文献のスタイル

> Etsuko Shimizu (2001), a Japanese student, writes, "Writing in English is more diffcalt [sic] than reading in English" (p. 45).

③　引用すると原文中の語句が何を指しているのか不明確になってしまう場合

　MLAスタイルと同じ形式をとっており、あいまいな語句が何を示しているのかを [　] の中に記して明確にする。

> Elbow (1981) says that "having to rhyme helped him [Frost] think of words and even ideas" (p. 102).

④　原文の一部を強調したい場合

　APAスタイルの場合、強調したい部分をイタリック体で示し、引用の後に [italics added] と記す。

> Scott (1995) argues that the fundamental difference between speaking and writing appears to be that writing is largely *decontextualized* [italics added].

(2)　原文の論旨を自分のことばで述べる場合

　APAスタイルの場合、著者名の後ろに出版年を（　）で囲んで示す。ページナンバーを記すことは要求されていないが、読者が原典にあたる上での便宜を図るためにできるだけ示すようにと勧めている。

> Scott (1995) argues that compared with speaking, writing lacks contextual information and thus more difficult to perform (p. 11).

3　参考文献の記載の仕方

　参考文献は読者が原典にあたりたい場合、すぐに入手できるように正確に明記しなければならない。参考文献の正確な記載は、論文執筆者の義務と言っても過言ではない。

　参考文献は著者の姓をアルファベット順に並べて記す。各文献に盛り込むべき基本的情報は次の通りである。

A.　一般の本の場合
　　（1）　著者の姓名
　　（2）　文献のタイトル（サブタイトルも含む）
　　（3）　発行年
　　（4）　出版社の所在地
　　（5）　出版社名
　　（6）　ページナンバー
B.　編集された本の中に収録された論文の場合
　　A.に列記された項目に加えて下記の情報が必要となる。
　　（1）　論文のタイトル
　　（2）　編集者の姓名
C.　雑誌に掲載された論文の場合
　　（1）　論文のタイトル
　　（2）　雑誌名
　　（3）　雑誌の巻数（場合によっては号数）
　　（4）　ページナンバー

　参考文献は論文の本文の後に、新しいページに著者の姓（last name）をアルファベット順に並べ、本文と同じ行間で列記する。

　参考文献の記載法にもMLAスタイルとAPAスタイルでは違いがある。ここでも、おのおののスタイルで定められた記載の仕方を説明しよう。

第 7 章　引用の仕方、参考文献のスタイル

MLA スタイル

MLA スタイルで注意すべき点は以下の通りである。

(1) タイピング

Works Cited という表題をつけ、すべて本文と同じ行間で打つ。また、各引証項目の 1 行目は左端マージンに沿って打ち始め、2 行目以降は左マージンの端から 0.5 インチ（あるいは 5 文字分）空けて打つ。

(2) 著者名

著者名は、姓 (last name)、名 (first name) の順に記す。著者の姓名は著書、論文のタイトルページに記載されている通りに書き写す。たとえば、タイトルページにミドル・ネーム (middle name) が書かれていれば、それを省略してはならない。

(3) 表題

表題は内容語（名詞、代名詞、動詞、形容詞、副詞、従属接続詞）はすべて大文字で始める。その他の機能語（冠詞、前置詞、等位接続詞、不定詞の to）は表題及び副題の最初に位置しない限りは、小文字で始める。副題がある場合は、表題の後ろにコロンを打ち、1 スペース空けて副題に続ける。副題に関しての大文字の使い方は表題に準じる。編集された本の中の論文や学術雑誌の中の論文には、ダブル・コーテーションマークをつける。

本、雑誌の表題には下線を引く。ただし、この下線部は活字印刷された場合はイタリック体に変わる。したがって、授業に提出する論文など活字印刷される予定のない場合は、活字印刷の体裁に似せて、下線の代わりにイタリック体を用いることもある。

(4) 出版情報

出版社の所在地については、アメリカ以外の都市の場合、読者への便宜を図るため、都市名の後ろに、国名の省略形を付け加えることがある（たとえば、Sendai, Jap.）。

出版社名の記載にあたっては、Publishers, Co., Ltd. などは省略する。

Cambridge University Press のような場合は、Cambridge UP というように省略形を用いる。

記載の基本方式は次の通りである。

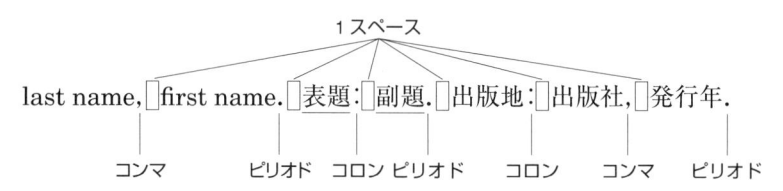

```
                    1スペース
last name, ␣first name.␣表題:␣副題.␣出版地:␣出版社,␣発行年.
          コンマ      ピリオド  コロン ピリオド  コロン    コンマ   ピリオド
```

以下、さまざまなケースの参考文献の記載方法を眺めてみよう。

1. 単一著者の場合

A. 本の場合
① **標準的な形式**
1) 著者のラスト・ネームの後にコンマを打ち、ファースト・ネームを続ける。ミドル・ネームがある場合は、ファースト・ネームの後に記す。
2) 著者名の後にピリオドを打ち、表題を書きピリオドを打つ。副題がある場合は、表題の後にコロンを打ち、副題を記しピリオドを打つ。表題全体に下線を引くが、表題の後ろのピリオドには引かない。
3) 出版地を書きコロンを打った後、出版社名を記してコンマを打ち、発行年を示す。

> Maynard, Senko K. Principles of Japanese Discourse: A Handbook. Cambridge: Cambridge UP, 1998.

② **同一著者による同一題名の本であるが、ある特定の版（edition）を参考文献とした場合**

同一著者による同一のタイトルの本でも、版によって内容が大きく異なる場合がある。たとえば p. 174 に記した MLA や APA のスタイルブックは、版ごとに内容が著しく異なっている。こうした場合は、第何版かという情報を盛り込む必要があり、この情報は、本のタイトルの後ろに入れる。

第7章　引用の仕方、参考文献のスタイル

> Anderson, John R. <u>Cognitive Psychology and Its Implications</u>. 5th ed. New York: Worth, 2000.

③　英語以外の言語で書かれた本の場合

　本の題名の英訳を示した方が読者にとってわかりやすいと判断した場合は、[　]で囲んで、英訳を記す。ピリオドは[　]の後に打つ。

> Tawara, Machi. <u>Yotsuba no Essei</u> [The Four-Leaf Essay]. Tokyo: Kawade Shobo Shinsha, 1988.

B.　編集された本の中の論文の場合
1) 引証する論文の表題を書きピリオドを打つ。ピリオドを含めてダブル・コーテーションマークで囲む。
2) その論文が収められている本の表題を記し、アンダーラインを引く。
3) Ed.（Editor の略）と書き、編集者の名前をファースト・ネーム、ラスト・ネームの順に記す。
4) 発行年の後にピリオドを打つ。
5) 最後にページナンバーを示し、ピリオドを打つ。

> Liu, Jun. "From Their Own Perspectives: The Impact of Non-Native ESL Professionals on Their Students." <u>Non-Native Educators in English Language Teaching</u>. Ed. George Brain. Mahwah: Lawrence Erlbaum, 1999. 159–176.

C.　学術雑誌に掲載された論文の場合
1) 引証する論文の表題を書きピリオドを打つ。ピリオドを含めてダブル・コーテーションマークで囲む。
2) その論文が収められている雑誌名を書き、下線を引く。
3) 巻数（volume number）を記した後、発行年を（　）で囲み、コロン

を打つ。
4) 最後にページナンバーを記す。

> Thatcher, Barry L. "L2 Professional Writing in a US and South American Context." <u>Journal of Second Language Writing</u> 9 (2000): 41–69.

ただし、1年間に複数の号を出し、各巻通してのページナンバーを用いず、各号が毎回1ページから始まる雑誌に関しては、号数（issue number）も付記する必要がある。巻数の後ろにピリオドを打ち号数を記し、スペースを空けずにコロンを打つ。1スペース空けページナンバーを記す。

> James, Mark. "Culture in ESL Instruction: An Analytic Framework." <u>TESOL Canada Journal</u> 17.2 (2000): 36–49.

2. 複数著者の場合

1) 著者が2名以上の場合は、第1著者はラスト・ネーム、ファースト・ネーム、（及びミドル・ネーム）の順で書き、その他の著者名はファースト・ネーム、（ミドル・ネーム）、ラスト・ネームの順で書く。
2) 各著者名の間にはコンマを打ち、最後の著者名の前にはandを用いる。
3) 著者が2名だけの場合でも、第1著者の名前の後ろにはカンマを打つ。

> Tomalin, Barry, and Susan Stempleski. <u>Cultural Awareness</u>. Oxford: Oxford UP, 1993.

3. 複数編者の場合

1) 編集された本の中の論文を引証するのに際し、編者が複数いる場合は、Ed.と書き、各編者の名をファースト・ネーム、（ミドル・ネーム）、ラスト・ネームの順に示す。
2) 各編者の名前の間にコンマを打つ。
3) 最後の編者名の前にはandを置き、最後の編者とその前の編者の名前

の間にはコンマは打たない。

> Cohen, Andrew D. "Speech Acts." Sociolinguistics and Language Teaching. Ed. Sandra Lee McKay and Nancy H. Hornberger. Cambridge: Cambridge UP, 1996. 383–420.

4. 同一著者による著書や論文を複数記載する場合

最初の項目においてのみ著者名を記す。2番目以降では、ハイフンを3つ打った後、ピリオドを打つ。各項目は、題名のアルファベット順に並べる。

> Maynard, Senko K. An Introduction to Japanese Grammar and Communication Strategies. Tokyo: The Japan Times, 1990.
> ---. Principles of Japanese Discourse: A Handbook. Cambridge: Cambridge UP, 1998.
> ---. "Shifting Contexts: The Sociolinguistic Significance of Nominalization and Commentary Predicate in Japanese Television News." Language in Society 26 (1997): 381–399.

5. 電子資料を記載する場合

近年電子資料を利用する機会が増えてきている。オンライン情報を記載する場合も、通常の著作と同様、読者がその著作を検索することができるよう必要な情報を示すことが必要である。オンライン・テキストを記載する際は、通常の場合の「出版地、出版社、発行年」の代わりに「自分がネットワークにアクセスした日付とネットワークのアドレス（URL）」を記載する。基本的な記載の仕方は以下の通りである。

1) 著者名をラスト・ネーム，ファースト・ネームの順で記す。ラスト・ネームとファースト・ネームの間にはコンマを打つ。共著の場合は、2番目に記載する著者名からはファースト・ネーム、ラスト・ネームの順で記す。各著者名の間にはコンマを打ち、最後の著者名の前に and

を入れる。
2) 資料の表題（及び副題）を記し、ピリオドを打ちダブル・コーテーションマークで囲む。大文字、小文字の使用方法については、活字資料の場合と同様である。
3) 資料が掲載されている刊行物の表題を書き、コンマを打つ。表題には下線を引く。
4) 巻数、また巻ごとにページナンバーが異なる場合は号数を記す。
5) 出版年を（　）で囲んで記し、コンマを打つ。
6) ページナンバーなどの情報がわかる場合は記載する。
7) 自分がアクセスした日付とネットワーク上のアドレスを示す。アドレスは〈　〉で囲む。〈　〉の後ろにピリオドを打つ。

① **オンライン・ジャーナルの中の論文**

> Scott, Suzanne. "Developing a Research Agenda for TESOL." TESOL Matters, 10.3（2000）. 28 December 2000 〈http://www.tesol.org/pubs/articles/tm0008-01/html〉.

② **オンライン上の新聞記事**

> Grady, Denise. "Drug-Resistant Bacteria Still on the Rise." New York Times on the Web 28 December 2000. 28 December 2000 〈http://www.nytimes.com/2000/12/28/science/28GERM.html〉.

情報科学の発達により、今後はさまざまな形でオンライン情報を入手することが可能になると思われる。

APAスタイル

APAスタイルは参考文献の記し方をどのように規定しているのであろうか。MLAスタイルと異なる主な点は以下の通りである。

第 7 章　引用の仕方、参考文献のスタイル

(1)　タイピング

　References という表題をつけ、本文と同じ行間で打つ。1 つの引証項目が 2 行以上にわたる場合には、第 1 行目は左マージンに寄せて打ち、2 行目以降はインデント、すなわち数文字空けて打ち始める。

(2)　著者名

　姓 (last name)、名 (first name)、(文献のタイトルページに示されていれば)ミドル・ネームの順で記載し、ファースト・ネーム、ミドル・ネームについてはイニシャルを用いる。

(3)　表題

1) 本の場合は、表題の最初の単語の語頭及び固有名詞の語頭を除いては、品詞にかかわらずすべて小文字で打つ。副題も表題に準じる。
2) 編集された本の中の論文及び学術雑誌に掲載されている論文の表題については、固有名詞を大文字にすることを除き、本と同様に、表題の最初の語の語頭のみ大文字で打ち、ダブル・コーテーションマークはつけない。
3) 雑誌の表題は、MLA スタイルと同様、内容語の語頭は大文字にし、機能語の語頭は小文字で打つ。副題がある場合はコロンで導入し、その最初の語の語頭は品詞にかかわらず大文字とする。
4) 本及び雑誌の表題と副題はイタリック体で示す。

(4)　出版情報

　出版社の所在地については、多くの読者が知っている大都市 (New York, Paris, Tokyo など)を除いては、アメリカ国内の場合は都市名と州名の省略形を記す(たとえば、Urbana, IL)。アメリカ以外の都市については都市名と国名を記す(たとえば、Sendai, Japan)。

　出版社については、APA スタイルの場合も、Publishers, Co., Ltd. などは省略する。しかし、Cambridge University Press などは Cambridge UP というようには略して表示しない。

記載の基本方式は、下記の通りである。

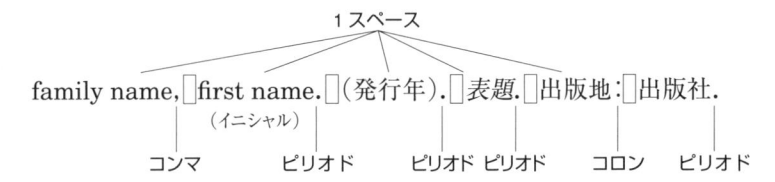

family name, first name. (発行年). 表題. 出版地: 出版社.
（イニシャル）

コンマ　ピリオド　ピリオド ピリオド　コロン　ピリオド

（1スペース）

1. 単一著者の場合

A. 本の場合

① 標準的な形式

1) 著者のラスト・ネームの後ろにコンマを打ち、ファースト・ネームのイニシャル（及びタイトルページにミドル・ネームがあればそのイニシャル）を記し、ピリオドを打つ。
2) 発行年を（ ）で囲んで示し、ピリオドを打つ。
3) 表題、副題をイタリック体で記してピリオドを打つ。
4) 出版地を書きコロンを打った後、出版社名を示しピリオドを打つ。

> Maynard, S. K. (1998). *Principles of Japanese discourse: A handbook*. Cambridge: Cambridge University Press.

② 同一著者による同一題名の本であるが、ある特定の版（edition）を参考文献とした場合

表題の後ろにピリオドを打たず、（ ）で囲んで第何版であるかを示し、ピリオドを打つ。

> Anderson, J. R. (2000). *Cognitive psychology and its implications* (5th ed.). New York: Worth.

③ 英語以外の言語で書かれた本の場合

APAスタイルでは、原語による表題の英訳を [ ] の中に示すことが義務付けられている。英訳の表題はイタリック体にせず、ピリオドは [ ] の後ろに打つ。

> Tawara, M. (1988). *Yotsuba no essei* [The four-leaf essay]. Tokyo: Kawade Shobo Shinsha.

B. 編集された本の中の論文の場合
1) 本の場合と同様に、著者名を記し、（ ）で囲み発行年を記す。
2) 引証する論文の表題に関しては、表題の最初の語と固有名詞、及び副題の最初の語と固有名詞は大文字で始め、その他の語は小文字で打つ。論文の題名は、ダブル・コーテーションで囲まない。
3) In...として編者の名前を記載するが、この場合は、ファースト・ネームのイニシャル、（ミドル・ネームがあればそのイニシャル、）ラスト・ネームの順で記述し、その後ろに（Ed.）と記し、コンマを打つ。次に対象となる論文が収められている本の題名を示すが、それについてはAに示した本の場合と同じ形式で記載する。
4) 論文のページナンバーを（pp. xx–xx）という形で（ ）で囲んで示し、ピリオドを打つ。
5) 出版地(都市名と州名)を示し、コロンを打って出版社名を記す。

> Liu, J. (1999). From their own perspectives: The impact of non-native ESL professionals on their students. In G. Braine (Ed.), *Non-native educators in English language teaching* (pp. 159–176). Mahwah, NJ: Lawrence Erlbaum.

C. 学術雑誌に掲載された論文の場合
1) 論文の表題を書きピリオドを打つ。表題にはダブル・コーテーションマークはつけない。論文の表題は、B同様、表題の最初の語と固有名詞の語頭、及び副題の最初の語と固有名詞の語頭は大文字で示し、その他の語は小文字を用いる。
2) 次いで、論文が掲載されている学術雑誌名を書くが、この際はMLAスタイルと同じく、雑誌名における内容語(名詞、代名詞、動詞、形容

詞、副詞など)はすべて大文字で始め、機能語(冠詞、前置詞など)は雑誌名の最初の単語でない限りは小文字で始める。学術雑誌名はイタリック体で示す。

3) 巻数（volume number）をイタリック体で示し、コンマを打ち、ページナンバーを xx–xx の形で記載する。

> Barry, T. L. (2000). L2 professional writing in a US and South American context. *Journal of Second Language Writing, 9,* 41–69.

ただし、通しナンバーを使用しないで、各号が毎回1ページから始まる学術雑誌については、号数（issue number）を付記する。号数は巻数の後ろにスペースを空けずに（　）で囲んで記す。号数はイタリック体にはしない。

> James, M. (2000). Culture in ESL instruction: An analytic framework. *TESOL Canada Journal, 17*(2): 36–49.

2. 複数著者の場合

1) 著者が2名以上の共著に関しては、すべての著者について、ラスト・ネーム、ファースト・ネームのイニシャル、及びミドル・ネームがタイトルページにあればそのイニシャルの順で記載する。
2) 著者名はコンマで分け、最後の著者名の前には、and の代わりに &（アンパーサンド）を記す。著者が2名だけの場合も、第1著者の名前の後にはコンマを打つ。

> Tomalin, B., & Stempleski, S. (1993). *Cultural awareness.* Oxford: Oxford University Press.

3. 複数編者の場合

編者が2名以上の場合は、すべての編者について、ファースト・ネーム

のイニシャル、(ミドル・ネームのイニシャル、)ラスト・ネームの順で記載し、(Eds.) と書く。各編者の名前の間にはコンマを打ち、最後の編者名の前には & を付す。ただし、編者が 2 名だけの場合は、編者名の間にはコンマをつけない。

> Cohen, A. D. (1996). Speech acts. In S. L. McKay & N. H. Hornberger (Eds.), *Sociolinguistics and language teaching* (pp. 383–420). Cambridge: Cambridge University Press.

4. 同一著者による著書や論文を複数記載する場合

MLA スタイルと異なり、同一著者の場合でも、すべての項目にわたり、著者名を記載する。通常、項目は発行年順に古いものから先に記す。

> Maynard, S. K. (1990). *An introduction to Japanese grammar and communication strategies*. Tokyo: The Japan Times.
> Maynard, S. K. (1997). Shifting contexts: The sociolinguistic significance of nominalization and commentary predicate in Japanese television news. *Language in Society, 26*, 381–399.
> Maynard, S. K. (1998). *Principles of Japanese discourse: A handbook*. Cambridge: Cambridge University Press.

5. 電子資料を記載する場合

基本的に APA スタイルでも MLA スタイルと同様に、出版情報の代わりに、オンライン上の「どこ」から、「いつ」情報を引き出したのかを明確に記載することが要求されている。APA スタイルによる基本的な記載の仕方は以下の通りである。

1) 著者名をラスト・ネーム、ファースト・ネーム(及びミドル・ネーム)の順で記し、ラスト・ネームとファースト・ネームの間にはコンマを打つ。共著である場合は、すべての著者名をラスト・ネーム、ファー

スト・ネーム(及びミドル・ネーム)の順で記載する。各著者名の間にはコンマを打ち、最後の著者名の前には & を打つ。
2) 出版年を( )で囲んで示し、ピリオドを打つ。
3) 資料の表題(及び副題)を記し、コンマを打つ。大文字、小文字の使用方法は活字資料の場合と同様である。
4) 資料が収録されている刊行物の表題をイタリック体で記し、コンマを打つ。
5) 巻数をイタリック体で記す。
6) ページナンバーなどの情報がわかる場合は記載する。
7) 自分がアクセスした日付を記す。記載の仕方は、Retrieved と書き、月、日、年の順で記す。
8) ネットワーク上のアドレスを示す。アドレスの最後にはピリオドは打たない。

① **オンライン・ジャーナルの中の論文**

> Scott, S. (2000). Developing a research agenda for TESOL. *TESOL Matters*, *10*(3). Retrieved December 28, 2000, from http://www.tesol.org/pubs/articles/tm0008-01/html

② **オンライン上の新聞記事**

> Denise, G. (2000, December 28). Drug-resistant bacteria still on the rise. *New York Times*. Retrieved December 28, 2000, from the World Wide Web: http://www.nytimes.com/2000/12/28/science/28GERM.html

　以上、MLAスタイルとAPAスタイルによる引用の仕方、参考文献の記載方法についてそれぞれ主な項目を取り上げ説明してきた。これらの記載方法を身につけるには、何よりもまず、自分自身で手元にある文献を使って実際に各スタイルに沿って記述してみることである。何度も試しているうちに、おのずと各スタイルが自分のものとなってきて、マニュアルを見

なくても、自然と引用したり、参考文献を記載することができるようになってくる。「習うより慣れろ」である。根気よく練習してみよう。

また、分野によっては、MLAでもAPAでもない別のスタイルに沿って書くよう要求されることがある。たとえば、同じ言語学のなかでも、通常、応用言語学の論文はAPAスタイルを採用しているが、理論言語学はLSA（Linguistic Society of America）スタイルを使っている。自分の学問分野ではどのスタイルが使われているのかを、あらかじめ確認しておく必要がある。

Exercise

次に示す文献を、参考文献としてMLAスタイルとAPAスタイルに沿って記述しなさい。

1. 著　　者: George Yule
   題　　名: Explaining English Grammar
   出 版 地: Oxford
   出 版 社: Oxford University Press
   発 行 年: 1998

2. 著　　者: Alister Cumming
   論　　題: Fostering Writing Expertise in ESL Composition Instruction: Modeling and Evaluation
   ペ ー ジ: 375–397
   編 集 者: Diane Belcher and George Braine
   本の題名: Academic Writing in a Second Language: Essays on Research and Pedagogy
   出 版 地: Norwood, New Jersey
   出 版 社: Ablex Publishing Corporation
   発 行 年: 1995

3. 著　　者: Roy Lyster and Leila Ranta
   論　　題: Corrective Feedback and Learner Uptake: Negotiation

of Form in Communicative Classrooms
雑 誌 名: Studies in Second Language Acquisition
巻　　　: 19
発 行 年: 1997
ペ ー ジ: 37–66

4　パンクチュエーション・マークの使い方

　日本語には、［。］、［、］、『　』、「　」などの句読点などしかないが、英語には数種類のパンクチュエーション・マークがあり、その使い方にはルールがある。ここでは英文を書く時に使う主なパンクチュエーションを取り上げ、その使い方を示す。

(1)　ピリオド (**period**)［.］
① 平叙文、命令文の文末に使う。
　　例: He went to Tokyo yesterday.
② 略語であることを示す記号として使う。
　　例: Mr.　Mrs.　Dr.　a.m.　p.m.　etc.
③ 原文の一部を省略して引用する場合に使う。
　　例: Carson (2001) maintains that transfer from the writer's first language . . . has been acknowledged from both a syntactic and a rhetorical perspective.

(2)　コンマ (**comma**)［,］
① 語(句)を3つ以上列挙する場合
　　例: She studies mathematics, history, psychology, and French at college.
② 等位節をつなぐ場合、等位接続詞 (and, but, yet, so, or など) の前に使う。

例： I took a bath, and I went to bed.

［注意］　ただし、動詞の関わる動作主が同一であり主語が2度現れない場合は、コンマは置かれない。

例： I took a bath and went to bed.

③　文頭に置かれたつなぎことばとしての副詞を区切るために使う。

例： My sister likes coffee. On the other hand, I like green tea.

④　主節の前に従属節を置く場合、従属節と主節を区切るために使う。

例： Although my mother cannot speak English, she went to see her aunt in Florida by herself.

［注意］　ただし、従属節が主節の後ろに置かれた場合は、コンマは使われない。

例： My mother went to see her aunt in Florida by herself although she cannot speak English.

⑤　文の中に挿入された句などを区切るために使う。

例： Professor Jones, a famous linguist, visited Japan to give a lecture.

⑥　非制限的用法として使われた関係詞節の前後に置かれる。

例： ABC University, which is located in Kanagawa, has about 20,000 students.

⑦　直接話法の伝達部の前に置かれる。

例： Moran (2001) says, "Identities become even more complex when persons of one culture and language enter other cultures and learn other languages" (p. 104).

⑧　日付や住所を記載する場合に使う。

例： Yoshiko was born on March 26, 1992, and she lives in Hachioji, Tokyo, Japan.

(3) セミコロン（semicolon）［;］

①　独立節を結びつける時に使う。（なお、2つ目の独立節の頭に置かれたつなぎことばとしての副詞（句）の後ろにはコンマを打つ。「(2) コン

4 パンクチュエーション・マークの使い方

マ」の③と比較すること）

例： My sister likes coffee; on the other hand, I like green tea.

② 複数の項目を列挙する際、文中にコンマがあり項目の区切り目がわかりにくい場合に使う。

例： I have lived in Los Angeles, California; Pittsburgh, Pennsylvania; Columbus, Ohio; and Phoenix, Arizona.

(4) コロン (**colon**) [:]

① 具体例を示す場合に使われる。

例： I have three classes on Monday: physics, sociology, and German.

② 補足的説明を加える場合に使う。

例： Dr. Hartwell's lecture focused on one idea: All human beings have creativity.

③ 長い引用を行う場合に使う。

例： In her book on foreign language writing, Scott (1995) states as follows:

> The fundamental difference between speaking and writing appears to be that writing is largely decontextualized. That is, writing is devoid of the kind of feedback that is available with oral messages. The relationship between speaker and listener is based upon common knowledge, whereas the shared knowledge between writer and reader is generally unknown. For this reason, writing is considered to be more difficult than speaking. (p. 11)

(5) ダブル・コーテーションマーク (**double quotation marks**) [" "]

① 直接引用した場合の引用部分を示す。

例： Jesus said to Peter, "Before the cock crows, you will say three times that you do not know me."

② 比較的短い詩、雑誌に掲載された作品や論文、及び複数の著者の作品

が収められた選集 (anthology) の中の作品や論文の表題を示す。

例： Last month I did a lot of reading, both literary and non-literary: Dylan Thomas' "After Apple Picking," Linda Harklau's "The Role of Writing in Classroom Second Language Acquisition," which appeared in *Journal of Second Language Writing* (2002), and Ilona Leki's "Not the End of History" in *ESL Composition Tales* (2002).

③ 語句の定義を示す場合など特殊な意味で語句を用いる場合に使う。

例： "Plagiarism" means "to steal and use the ideas or writings of another as one's own."

(6) シングル・コーテーションマーク (**single quotation marks**) [' ']
引用部分の中にさらに引用部分がある場合は、その場所を示すためにシングル・コーテーションマークが使われる。

例： Mary said, "Toshio called me and said, 'Let's go to a movie.' "

(7) アポストロフィー (**apostrophe**) [']
① 名詞や代名詞の所有格を表す。

例： One of Melville's representative novels is *Moby Dick*.

② 省略形を示す。

例： I've been to Kyoto many times.

③ 文字や数字の複数形を示す。

例： There are three a's in "acquaintance."

④ 年代を表す(ただし、この場合はアポストロフィーをつけなくてもよい)。

例： The Beatles were very popular during the 60's with young people in their 20's.

(8) 丸カッコ (**parentheses**) [( )]
① 文中に出典を明示する場合に使う。

例： Moran (2001) says, "Identities become even more complex when persons of one culture and language enter other cultures and

learn other languages" (p. 104).
② 文中で複数の事項を列挙する際、数字や記号を丸カッコと共に示す。
例: The paper points out three reasons why we often use language that violates political correctness. (1) we groundlessly consider our own ethnic/cultural group as best; (2) our "ideological roots" lead us to exclude those as outsiders who do not share the same ideologies as we do; and (3) we sometimes utter inappropriate words when we are hypersensitive to correct language.
③ 省略された語句の正式名称を示したり、逆に正式名称が長い場合に以後省略形を使うことを示すために用いる。
例: I got interested in the field of ESL (English as a Second Language).
I got interested in the field of English as a Second Language (ESL).
④ 文中に具体例を示す場合に用いる。
例: There are several parks in Tokyo (Hibiya Park, Yoyogi Park, Shinjuku Park, etc.).
⑤ 文中に引証した文献の出典を示す場合に使う。
例: One of foreign language researchers states, "The fundamental difference between speaking and writing appears that writing is largely decontextualized" (Scott, 1995, p. 11).

(8) かぎカッコ (bracket) [[   ]]
引用文に注釈を加えるなど、引用文に何らかの変更を加える場合に使う。
例: Etsuko Shimizu (2001), a Japanese student, writes, "Writing in English is more difficalt [*sic*] than reading in English" (p. 45).

（9） ダッシュ（**dash**）［—］

タイプライターやワープロで打つ場合、ダッシュは2つのハイフンで示される。

① 具体例を示す場合に使う。
   例： When I was a college student, I saw several movies by Hayao Miyazaki — *Spirited Away* and *Princess Mononoke*.
② 補足的な説明を加える場合に使う。
   例： Much of the past research support the notion that the second language composing process — and thus revising process — is more similar to than different from the first composing process.

（10） ハイフン（**hyphen**）［-］

① 行末で単語が区切れる場合に、単語の切れ目となる音節を示す。区切ることのできる箇所は、辞書を引くと［・］で示されているので必ず確認する必要がある。またハイフンは行末に置き、行の冒頭に置くことはできないので注意する。
   例： This is the first empirical study to explore the Japanese writ-ers' composing behaviors.
② 複合語を示す場合に用いる。
   例： I have a six-year-old son.

（11） 下線（**underline**）［＿］

下線部は活字印刷された場合はイタリック体となって表れる。

① 著書、雑誌、新聞、映画等の題名を表す場合に使う。
   例： I was very busy yesterday. I started to read Jane Eyre, looked over The New York Times, and watched Titanic on TV.
② 語句を強調する場合に使う。
   例： Every student should resist the temptation to fall into plagia-rism.

パンクチュエーション・マークの使い方を習得するには、まずいろいろ

な文章を書いてみて、その都度正しい使い方をしているかを確認すること
が肝心である。

Hodges' Harbrace Handbook with InfoTrac はパンクチュエーション・
マークの使用法についてのさまざまな練習問題を載せているので活用する
といいだろう。さらに、自分が今まで知らなかった使い方をしている文章
を見かけたら、メモをとってみるという習慣をつけるとよい。

また、コンマやピリオドを引用符の中に入れるか、外に置くかなど細か
な点については、MLAスタイルとAPAスタイルとでは微妙に異なってい
るので、不安に思った場合は億劫がらずに、スタイルブックで確認してほ
しい。

5 MLA、APAにしたがって書かれたサンプル

以下にMLA及びAPAそれぞれのスタイルにしたがって書かれた論文
のサンプルを示すので、参考にしてほしい。2つのスタイルの違いに注意し
て読んでみよう。

MLAスタイル

The purpose of this study is to analyze the revisions made by Japanese college ESL students to improve drafts of a story based on a series of six pictures. The study is intended to determine how quality ratings of the students' final drafts are related to various revising behaviors of the students: frequency, types (both successful and unsuccessful), different syntactic levels, different procedural operations, and content development.

Sudol claims that "most teachers of writing ... have found that ten minutes spent guiding a student's revision of one paper can be more valuable than several hours of classroom activities and grading" (4). This claim is enthusiastically accepted by every composition teacher who conceives of writing from a process-oriented point of view.

Beginning with Emig's seminal work, writing researchers and instructors in the field of writing English as a first language (L1) have shifted their perspective from product to process, and concurrently, they have increasingly focused their attention to revision. Research in the composing processes of writers of a second language (L2), more specifically, writers of English as a second language (ESL) or foreign language (EFL), has, however, just begun to emerge. Several ESL/EFL researchers lament by saying that "research into the composing processes of ESL students is almost negligible" (Zamel 196) or that "studies of second language writing are sadly lacking" (Krashen 41).

Works Cited

Arndt, Valerie. "Six Writers in Search of Texts: A Protocol Based Study of L1 and L2 Writing." ELT Journal 41 (1987): 257–67.

Ballard, Brigid, and John Clanchy. "Assessment by Misconception: Cultural Influences and Intellectual Traditions." Assessing Second Language Writing in Academic Contexts. Ed. Liz Hamp-Lyons. Norwood: Ablex, 1991. 19–35.

Bereiter, Carl, and Marlene Scardamalia. The Psychology of Written Composition. Hillsdale: Lawrence Erlbaum, 1983.

Connor, Ulla. Contrastive Rhetoric. Cambridge: Cambridge UP, 1996.

---. "Linguistic/Rhetorical Measures for International Persuasive Student Writing." Research in the Teaching of English 24 (1990): 67–87.

Faigley, Lester. Fragments of Rationality: Postmodernity and the Subject of Composition. Pittsburgh: U of Pittsburgh P, 1992.

Flower, Linda, and John F. Hayes. "A Cognitive Process Theory of Writing." College Composition and Communication 32 (1981): 365–87.

Hinds, John. "Reader versus Writer Responsibility: A New Typology." Writing across Languages: Analysis of L2 Text. Ed. Ulla Connor and Robert B. Kaplan. Reading: Addison-Wesley, 1987. 141–52.

APA スタイル

The purpose of this study is to analyze the revisions made by Japanese college ESL students to improve drafts of a story based on a series of six pictures. The study is intended to determine how quality ratings of the students' final drafts are related to various revising behaviors of the students: frequency, types (both successful and unsuccessful), different syntactic levels, different procedural operations, and content development.

Sudol (1982) claims that "most teachers of writing . . . have found that ten minutes spent guiding a student's revision of one paper can be more valuable than several hours of classroom activities and grading" (p. 4). This claim is enthusiastically accepted by every composition teacher who conceives of writing from a process-oriented point of view.

Beginning with Emig's seminal work (1971), writing researchers and instructors in the field of writing English as a first language (L1) have shifted their perspective from product to process, and concurrently, they have increasingly focused their attention to revision. Research in the composing processes of writers of a second language (L2), more specifically, writers of English as a second language (ESL) or foreign language (EFL), has, however, just begun to emerge. Several ESL/EFL researchers lament by saying that "research into the composing processes of ESL students is almost negligible" (Zamel, 1984, p. 196) or that "studies of second language writing are sadly lacking" (Krashen, 1984, p. 41).

References

Arndt, V. (1987). Six writers in search of texts: A protocol based study of L1 and L2 writing. *ELT Journal, 41,* 257–267.

Ballard, B., & Clanchy, J. (1991). Assessment by misconception: Cultural influences and intellectual traditions. In L. Hamp-Lyons (Ed.), *Assessing second language writing in academic contexts* (pp. 19–35). Norwood, NJ: Ablex.

Bereiter, C., & Scardamalia, M. (1983). *The psychology of written composition.* Hillsdale, NJ: Lawrence Erlbaum.

Connor, U. (1990). Linguistic/rhetorical measures for international persuasive student writing. *Research in the teaching of English, 24,* 67–87.

Connor, U. (1996). *Contrastive rhetoric.* Cambridge: Cambridge University Press.

Faigley, L. (1992). *Fragments of rationality: Postmodernity and the subject of composition.* Pittsburgh: University of Pittsburgh Press.

Flower, L., & Hayes, J. F. (1981). A cognitive process theory of writing. *College Composition and Communication, 32,* 365–387.

Hinds, J. (1987). Reader versus writer responsibility: A new typology. In U. Connor & R. B. Kaplan (Eds.), *Writing across languages: Analysis of L2 text* (pp. 141–152). Reading, MA: Addison-Wesley.

第 8 章

リサーチペーパーの書き方

第8章　リサーチペーパーの書き方

　近年日本の大学では、リサーチペーパー(研究論文)を要求する授業が増えている。リサーチペーパーは、授業で課題として書くほか、卒業論文、修士論文として書く場合もある。また、質の高いリサーチペーパーであれば学術雑誌に投稿するという道も開けてくる。留学した場合、リサーチペーパーはほとんどすべての科目で要求される。リサーチペーパーが書けなければ、授業の単位を取得することは不可能となる。

　この章では、リサーチペーパーの書き方の概略を示していく。多くの専門分野に適用できるようにできるだけ一般化した形を提示していくが、各専門分野にはそれぞれ特有の書き方があるので、詳細については各専門分野の執筆要領にしたがってほしい。

　リサーチペーパーの一般的な枠組みは以下の通りである。第5章で解説したエッセイと基本的な構造においては共通点が多いが、リサーチペーパー特有の書き方があるので注意したい。

```
題　名　（title）
要　旨　（abstract）
序　論　（introduction）
本　論　（body）
結　論　（conclusion）
参考文献　（references）
注　　　（notes）
補　遺　（appendixes）
```

　以下にリサーチペーパーを構成する各セクションについて、モデル文を示しながら解説していきたい。このモデル文は日本人の大学4年生である松本あずさによって書かれたものである。

1　題名のつけ方

　題名が重要なのは言うまでもない。他人に自分の書いた論文を読んでも

らえるか否かは題名によって決まるといっても過言ではない。題名を決める時は、抽象的な漠然とした表現は避け、できるだけ論文の内容を具体的に表すものにする必要がある。

> The Notion of Political Correctness: What It Is, Why It Was Advocated, and How It Could Be Implemented

　題名からこの論文が"political correctness"を扱ったものであり、さらに副題から political correctness という思想的動向の「定義」(what it is)、「原因」(why it was advocated)、及び「実施の仕方」(how it could be implemented)を論じたものであることが推測できる。

2　要旨の書き方

　題名と共に大切なのが論文の要旨である。時間的に制約の多い読者に自分の論文を読んでもらうためには、いかに的確にかつ簡潔に論文全体の内容をまとめた要旨を書くかが決め手になる。要旨の長さは通常200～300語程度となっている。その中では、以下のポイントを述べることが求められている。

1) 研究の目的
2) 各章で述べられている要点
3) 結論で述べられた将来に向けての示唆

> The purpose of this paper is to provide the origin of the notion of "political correctness," to examine the reasons why people often use politically incorrect language, and to suggest some ways to assuage the problem of verbal discrimination. ← 研究の目的
>
> The paper first defines what the "politically correct" language is and exam- ← 本論の第1章で述べられている要点

209

第 8 章　リサーチペーパーの書き方

ines when and where the notion of "political correctness" originated from. It then points out five reasons why we use language that offend or hurt people who belong to minority cultures. The first reason concerns ethnocentrism, in which we groundlessly consider our own ethnic/cultural group as best. The second is related to our "ideological roots," which lead us to exclude those as outsiders who do not share the same ideologies as we do. The third reason is that we sometimes utter inappropriate words when we are hypersensitive to correct language. The fourth reason comes from our psychological tendency to be more permissive with our own misbehavior when we are in a group, rather than when alone. The last reason is that it is difficult to draw a line between politically correct and incorrect language. Finally, the paper suggests that what is needed to prevent us from the pitfalls of verbal discrimination against those in minority groups is to accept and respect the diversity of races, ethnicities and cultures. The appreciation of this diversity could keep us from conceiving stereotypes and prejudice against those in groups that do not belong to our own.

〈本論の第 2 章で述べられている要点〉
〈第 1 の理由〉
〈第 2 の理由〉
〈第 3 の理由〉
〈第 4 の理由〉
〈第 5 の理由〉
〈本論第 3 章で述べられている要点〉
〈結論で述べられた将来に向けての示唆〉

　上記のモデル文では、冒頭で研究の目的が述べられ、次いで各章で述べられている要点が簡潔にまとめられている。最後に結論で示されている将来に向けた示唆に触れて結んでいる。

3 序論の書き方

　序論はセールストークに相当する。序論を読んで退屈であれば、読者は残りの部分を読んではくれない。したがって、序論では自分の論文が読むに値するものであることを読者にアピールしなければならない。
　序論に盛り込むべき要素としては以下の5点が挙げられる。

1) 読者の関心を引く。
2) 読者に自分の研究の背景知識を概略的に与えるために、論文で扱うテーマについてこれまでになされてきた先行研究を示す（review of literature）。
3) これまでの先行研究で見落とされていた点を指摘し、自分の研究の意義を強調する。
4) 論文の目的・趣旨を示す。
5) 本論の構成を概略的に示す。

　以下、モデル文を参照しながら、1)〜5) のそれぞれについて簡単に説明してみよう。

"Language is so powerful," said Seiler and Beall (2002, p. 85). We express feeling with language, we exchange information with language, and we communicate with each other with language.

〔主題に関わる引用文の使用〕

However, the language that we use every day can be discriminatory without our being aware of the fact. Some of us might use the word "blind" without being aware of its negative connotation. We also make comments that might be offensive to some, such as, "Really? She's an airplane pilot even though she's a

〔身近な具体例を示す〕

woman?" There are many uses of language that can be held as being discriminatory whether the degree of malice is significant or not.

Some of us think that language is just composed of words and can never be harmful, but this idea is not valid. The use of politically incorrect language or words can make people feel uncomfortable, and it can lead to conflict, or even hate crimes.

According to U.S. Federal Bureau of Investigation (2002), a total of 7,755 hate crimes took place in 1998 and the number of victims reached 9,722. It also reports that many of the victims were discriminated against because of their race; the number of victims in this category was 5,514, which is 57% of the total number of victims of hate crimes. Following the victims of racial discrimination were the victims of religious discrimination and of discrimination because of sexual orientation. (See Appendix A for more detailed information.) These statistics show that many people were wounded by this extreme discrimination and the hate crimes, even though the hate crimes were usually non-physical attacks, that is, verbal attacks.

"Political correctness"[1] is the notion that people should not use words or language that could offend or hurt people who belong to minority cultures. This notion has been of much interest and concern to many people in the U.S. since the 90's, when the words "political correctness" were popularized (Sierra, 2002). The publication of *The Officially Politically Correct Dictionary and Handbook* (Beard and Cerf) in 1993 drew much interest in this issue from the general public: the book lists politically "incorrect" words and their "correct" counterparts, such as "Hispanic" versus "Latino-American."

So far several books and articles in Japan have introduced the idea of political correctness to Japanese audience and explained how this idea has been implemented and debated in the U.S. (e.g., Ugaya, 1994; Zak, 1995). However, in Japan, with its fewer racial/ethnical/cultural/religious varieties than the U.S., not enough attention has been paid to the movement against verbal discrimination for the past decades. Now is the time that Japanese people should also be aware of the danger of verbal discrimination targeted toward minority groups because Japan is facing a rapid social change, in which a considerable number of foreigners have entered it and formed minority cultures. To better understand the concept of political correctness could prevent us from falling into the pitfalls of committing a large number of hate crimes as was evidenced in the U.S. 〈先行研究で見落とされていた点を指摘し、自分の研究の意義を強調する〉

This paper examines the movement against the discrimination in language called "political correctness." 〈論文の目的・趣旨を示す〉
The paper first closely explains what political correctness is and when and where it began. Then it discusses why people keep offending others by using politically incorrect language and words. Lastly, it offers some possible solutions for the problem of political incorrectness. 〈本論の構成を概略的に示す〉

第8章　リサーチペーパーの書き方

(1) 読者の関心を引く

読者の心をとらえるためにいろいろな工夫を凝らしてみることができる。以下は序論において効果的であると考えられている書き出しの例である。

① 注目すべき事実を述べる (**startling fact**)

In the shadow of Mt. Everest, across the white and frozen lands of the Himalayas where few men have ever been, a snowman has walked. (A. Bloomfield, *The Great Unknown*)

② 統計を示す (**statistics**)

Statistics shows that one out of every two women with children now holds a job outside the home.

③ 主題に関わる引用文を使う (**quotation**)

"It was the best of times, it was the worst of times" wrote Charles Dickens in what is probably the most famous sentence written on the French Revolution. (*Reader's Digest*)

④ 興味深い、または珍しい逸話を紹介する (**anecdote**)

Oedipus was clever enough to solve the riddle of the Sphinx, but couldn't see the problem under his own nose, i.e., his feet. His very name had just such pedestrian origins: oidi = swollen; pus = foot. The secret of his own origin and his true character was wrapped in that name. (S. Tanikawa, et. al., *Words in Transit*)

⑤ 語句の定義を述べる (**definition of terms**)

Moods, say the experts, are emotions that tend to become fixed, influencing one's outlook for hours, days or even weeks. (*Reader's Digest*)

⑥ あざやかな比較を示す (**vivid contrast**)

Vincent Van Gogh painted sunflowers, Andy Warhol painted pictures of Marilyn Monroe, and the cave men of Spain painted bulls. The question is: "Is there a connection between these artists?" (A. Bloomfield, *The Great Unknown*)

⑦　歴史的な背景知識を与える（**historical background information**）

On Easter Sunday, 1772, the Dutch Admiral Jacob Roggeveen discovered an island. This is appropriately called Easter Island, a small dot on the map in the middle of the Pacific Ocean, 2,000 miles from the coast of northern Chile. (A. Bloomfield, *The Great Unknown*)

⑧　修辞疑問文で始める（**rhetorical question**）

Was Rome built in a day? Can you master writing skills in a day? With effort and perseverance, you can gradually improve your writing.

⑨　身近な例を示す（**concrete examples**）

All of us might have experiences being hurt by some words uttered unconsciously by others. For example, if someone asks a woman who cannot have a baby whether or not she has a child, she might be terribly hurt. Or if someone asks a man who has just lost his wife whether or not he is married, he might feel sad and depressed.

なお、リサーチペーパーでは、あくまで客観的な立場を貫くことが大切である。日本人学生の文章には、読者との対話を想定したような⑧の疑問文を使った表現が過度に使われる傾向がある。また、⑨の身近な例は、読者にも共通する例を示すことが大切で、自分だけの個人的な体験を語るとどうしても主観的な感想文になってしまうので注意したい。

モデル文においては、主題に関わる引用文、身近な具体例、統計、及び語句の定義といった手法が用いられている。

（2）　これまでになされてきた先行研究を示す

リサーチペーパーでは、自分の主張が単なる思いつきを並べたものではなく、論証するのに値するトピックを扱ったものであることを読者に示さ

なければならない。そのためには、そのトピックについてこれまでになされてきた研究内容を紹介することが必要となってくる。先行研究の内容を示すことによって、本論にいたる前にこれから論じるトピックに関して読者に背景知識を与えることができ、同時に、自分がその分野において専門的な知識を持っていることをアピールすることができる。

先行研究を導入する表現としては以下のような表現がある。

- (A topic) has been of much interest and concern to . . .
  （～は．．．の注目や関心を集めてきた）
- (A topic) has been widely discussed by . . .
  （～は．．．によって広く議論されてきた）
- A number of researchers has discussed (a topic).
  （多くの研究者が～について議論してきた）
- There has been a considerable of studies on (a topic).
  （～についてはかなり多くの研究がなされてきた）

モデル文では、"This notion has been of much interest and concern to many people in the U.S. . . ."という文が先行研究を導入している。

（3） 自分の研究の意義を強調する

取り上げるトピックについて、これまでの研究ですべてが明らかになっていれば、論文を書く必要はない。先行研究で見落とされていた点やまだ明らかになっていない点を指摘することによって、「だからこそこの点を究明することが大切なのだ」と、あなたがこれから行う試みの重要性を強調することが必要である。以下のような表現によって、先行研究の問題点を指摘するとよい。

- Not enough attention has been paid to (a topic).
  （～についてはあまり関心が寄せられてきていなかった）
- There still remains a controversy over (a topic).
  （～についてはいまだ論争が続いている）
- We have not yet reached a conclusion as to (a topic).
  （～についてはまだ結論を得るにはいたっていない）

- The past studies have not answered the question of (a topic).
  （過去の研究はまだ〜についての答えを得るにはいたっていない）

モデル文では、"not enough attention has been paid to the movement against verbal discrimination . . ."という文が、先行研究の問題を指摘している。

（4） 論文の目的・趣旨を示す

読者の関心を引きつけ、背景知識を与え、先行研究の問題点を指摘する部分はいわば助走にあたる。助走をした後は、いよいよジャンプである。エッセイの主題文（thesis statement）にあたる文を示すことにより、核心部分に入る。モデル文では "This paper examines the movement against the discrimination in language called 'political correctness.'" という文が、論文の目的・趣旨を示している。

（5） 本論の構成を概略的に示す

序論から本論への橋渡しとして本論の構成を概略的に記すことによって、読者にこれから論じられる内容の輪郭を与えることができる。以下のような表現を用いるとよいだろう。

- This paper first explains . . . . Then it discusses . . . . Lastly, it offers . . . .
  （この論文では最初に . . . を分析する。次いで . . . を論じる。最後に . . . を提案する）
- The first section (part) of this paper explains . . . . The second section (part) discusses . . . . The third section (part) proposes . . . .
  （この論文の第1章では . . . を説明する。第2章では . . . を論じる。第3章では . . . を提案する）
- The paper begins by . . . . will then be explored. Finally, . . . will be presented.
  （本稿は . . . から始める。ついで . . . を探る。最後に . . . を示すことにする）

モデル文では、"The paper first closely explains what political correctness is and when and where it began." という部分で本論の第1章の内

容を、"Then it discusses why people keep offending others by using politically incorrect language and words." という部分が第2章の内容を、さらに "Lastly, it offers some possible solutions for the problem of political incorrectness." という部分が第3章の内容を概略的に示している。

4　本論の書き方

本論は、序論の最後に示された構成に沿って論文の趣旨を展開していく。本論を書く上で注意したい点について触れていこう。

(1) 導入のための表現

本論は、これから詳しく論じることになるトピックを導入する部分から始まる。
第1章は次のような表現を用いて始めるとよいだろう。

- Let us first consider . . . .
  （まず . . . について考えてみよう）
- The first point that we need to discuss is . . . .
  （第1に議論すべき点は . . . である）
- First, we need to inquire into . . . .
  （まず . . . について調べる必要がある）

第2章以下では、前の章との橋渡しとして前章の内容を簡潔にまとめ、次いで新たな章の導入を行う。第1章で議論される内容によって、その後の章を導入する表現は変わってくるが、一般的なものとしては以下のようなものが考えられる。

- The point that we must consider next is . . . .
  （次に考えるべき点は . . . である）
- The above discussion leads us to consider another important factor . . . .

（上記の議論に関連してさらに別の重要な要素を考察しよう）
- What needs to be investigated next is . . . .
（次に究明する必要があるのは...である）

以下にモデル文の冒頭を例として示すので参考にしてほしい。

（第1章）

　Let us first consider the definition of political correctness. Political correctness is the idea that people should not use that could offend people who belong to minority groups.

（第2章）

　We all know that politically incorrect language and words should not be used because they can hurt other people — the idea has been around since 1936. Many people, however still use politically incorrect language. **What we need to consider next** is why it is very hard to eradicate discriminatory words and phrases. We can point out five major reasons why politically incorrect language is so hard to make disappear.

（第3章）

　We have discussed five major reasons why it is difficult for us to stop using politically incorrect language. **This discussion leads us to explore** what we can do to make the situation better. The following section offers some potential solutions to the problem of using discriminatory language.

---

(2) 引用の仕方

　他の研究者による意見や研究成果に言及することは、議論のポイントに客観的な証拠を与え、自分の主張の信憑性を高めることにつながる。具体的な引証の仕方は、第7章で詳しく解説してあるので参考にしてほしい。
　引用を導入する表現には以下のようなものがある。

第 8 章　リサーチペーパーの書き方

① 　他の研究者による研究で明らかになった事実について言及する
- Brown (2xxx) found that . . . .
 （ブラウンは . . . ということを明らかにした）
- It was found that . . . (Brown, 2xxx).
 （. . . ということが判明した）
- Brown (2xxx) reported that . . . .
 （ブラウンは . . . と報告した）
- In a study conducted by Brown (2xxx), it was found . . . .
 （ブラウンの行った研究によれば、. . . ということが明らかになった）

研究で明らかになった事実を報告するので、動詞の時制は過去形を用いる。

② 　他の研究者の主張に言及する
- According to Brown (2xxx), ...
 （ブラウンによれば、. . . である）
- Brown (2xxx) contends (*or* claims / argues / maintains / notes) that . . . .
 （ブラウンは . . . と論じている[主張している / 主張している / 主張している / 述べている]）
- Several past studies (e.g., Brown, 2xxx) indicate (*or* point out) that . . . .
 （これまでの研究は、. . . ということを明らかにしている[指摘している]）

意見や主張は時間の制約を受けないので、動詞は現在形を用いる。

(3) 　図表の示し方

　本論内で統計資料を示すことも、論点に客観性を与え、論文の主張を支える強力な武器となる。図表は読者の視覚に訴えるので、説得力が強い。
　次頁のモデル文で示したように、図表を用いる場合は、"Table/Figure 1, 2, 3" というように表 (table) や図 (figure) のそれぞれに通し番号をつけ、表・図のタイトルを示す。他の統計資料から取ったデータであれば出典を明示することを忘れてはならない。また、本文中に必ず、表・図について解説した文章を入れる必要がある。単に図・表を示しただけで、本文に何ら説明が付されていない論文をよく見かけるが、それでは読者はその図や表が何を示しているのかがわからず混乱してしまう。モデル文では、"Table

Table 2
Politically Incorrect Words and Their Politically Correct Counterparts

Non-PC	PC
Black	African-American
black coffee	coffee without milk
white coffee	coffee with milk
white man	Caucasian/White person
developing countries	the Third World
policeman	police officer
Miss/Mrs.	Ms.
stewardess	flight attendant
alcoholic	problem drinker
blind	visually impaired individual
deaf	impaired hearing
patient	client
pet	animal companion
birth control/contraception	family planning

Source: Rees, Nigel. *The politically correct phrasebook*. Tokyo: Akaishi-shoten corp., 1996.

Table 2 lists some politically incorrect words and their politically correct counterparts. Some of the words in this list are very hard to recognize as being politically incorrect, such as "developing countries," "patient," and "pet."

2 lists..." の部分が Table 2 の内容を明示する文となっている。

5　結論の書き方

結論では、以下の3点を含む書き方が要求される。

1) 論文全体の目的を再確認する。
2) 本論で述べた内容を要約する。
3) 研究の結果を踏まえて将来に向けた示唆を提示する。

> This paper explored the notion of political correctness by examining the definition and origin of the words, followed by the discussion on the reasons for the verbal discrimination against minority groups. Finally, it offered some possible solutions for this problem of discriminatory language use.　＜論文全体の目的を再確認する＞
>
> Political incorrectness is discrimination by the use of language. The phrase "political correctness" was first used around the time when the Soviet leader, Joseph Stalin, created an anti-discriminating constitution called the Stalin Constitution. Although the notion of political correctness has been around for more than 65 years, people still use politically incorrect language and words every day.　＜本論で述べた内容を要約する／第1章の内容を要約する＞ The reasons are probably several: human characteristics and mechanisms such as ethnocentrism and ideological roots; human psychology, such as the forbidden fruit syndrome; and the ambiguity of the nature of political correctness — we cannot pass laws for it, or we tend to be confused in determining exactly what kind of language and words　＜第2章の内容を要約する＞

can be considered as morally correct. One of the most effective ways to overcome political incorrectness is by educating people, especially children, to make them understand and accept different perceptions, values, and ways of thinking. 〔第3章の内容を要約する〕

Today, we have highly developed medical technology, transportation, and communication systems, and we have many opportunities to interact with people in diverse cultures. In this complex world, we have problems with discrimination. Understanding other people is never easy. We should try harder to appreciate racial, ethnical, and cultural diversity so that we have less stereotyping of and prejudice against those who come from different cultures. 〔論文のテーマの重要性を強調し、判断を下す〕 Future research is needed to search for options, other than those presented in this paper, which we could make for the betterment of the present situation. 〔今後の課題を示す〕

（1） 論文全体の目的を再確認する

以下のような表現を用いて、まず論文が何を目的に書かれたかを読者に再確認するとよいだろう。

- The present study attempted to explore . . . .
  （本研究は . . . について調査を試みたものである）
- In this paper, we investigated . . . and clarified . . . .
  （この論文では、. . . について調査し、. . . を明らかにした）
- This study analyzed . . . and revealed . . . .
  （本研究では . . . を分析し、. . . を明らかにした）

モデル文では、"This paper explored the notion of political correctness by examining the definition and origin of the words, followed by the discussion on the reasons for the verbal discrimination against minority groups. Finally, it offered some possible solutions for this problem of discriminatory language use." という部分が、この論文が何を目的として書かれたものであるかを読者に再度示している。

(2) 本論で述べた内容を要約する

論文全体を総括するために、本論で述べた内容を要約する。モデル文では、"Political incorrectness is discrimination by the use of language." で始まる文以下で本論の内容が要約されている。

(3) 研究の結果を踏まえて将来に向けた示唆を提示する

自分の論文がさらなる発展性を持っているということをアピールするためには、最後に将来に向けた示唆を提示する必要がある。それには、以下のような手法がある。

① 今後の課題を示す

This paper has examined how personality is related to foreign language learning. To date, little is known about this relationship. We have not known what kind of personality will lead to success and failure in language learning. We have not found an answer to the questions of whether out-going learners master a foreign language faster than reserved learners. Future research is needed to search for the answer these research questions.

② 論文のテーマの重要性を強調し、判断を下す

There are safe limits that people can use in making their decisions about risk-taking, such as choosing to drink or not to drink or how much to drink. We ought to share with young and old alike the best available knowledge on such subjects. And then let each individual make up his or her own mind. (L. Markstein and L. Hirasawa, *Developing Reading Skills*)

③ さらなる発展の可能性を示す

Studying prefixes and suffixes helps you increase your vocabulary. There are, however, some other ways for vocabulary building. For instance, it might be effective to read a wide range of books and articles or to guess the meanings of unknown words from their contexts. You cannot increase your vocabulary in a day. By trying to use different techniques, you can find the "best" method for you.

モデル文では、「論文のテーマの重要性を強調し、判断を下す」と「今後の課題を示す」という手法の2つが使われている。"Today, we have highly developed medical technology, transportation, and communication.... We should try harder to appreciate racial, ethnical, and cultural diversity so that we have less stereotyping of and prejudice against those who come from different cultures." の部分で論文のテーマの重要性を強調し、筆者の最終的な判断を示している。また、"Future research is needed to search for options, other than those presented in this paper, which we could make for the betterment of the present situation." という文で今後の課題を提起している。結論では、自分の論文が重要なテーマを扱ったものであり、今後もさらなる研究が必要であることを示して、論文のフィナーレを飾ることが求められている。

6 参考文献の書き方

参考文献は著者の姓（last name）のアルファベット順で記載する。記載については、各専門分野で使われているスタイル・マニュアルに従うことになっている。MLAスタイル及びAPAスタイルについては第7章で詳しく説明してあるので、そちらを参照してほしい。

References

Calloway-Thomas, C., Cooper, P. J., & Blake, C. (1999). *Intercul-

> *tural communication: Roots and routes.* Massachusetts: Allyn & Bacon.
>
> Cashdan, E. (1989). Hunters and gatherers: Economic behavior in bands. In S. Plattner (Ed.), *Economic anthropology*. Stanford: Stanford University Press.
>
> Crewe, N., & Athelstan, G. (1985). *Social and psychological aspects of physical disability.* Minneapolis: University of Minnesota, Department of Independent Study and University Resources.
>
> Furuta, G., Ishii, S., Okabe, R., & Kume, T. (1996). Ibunka-komyunike-shon. [*Intercultural communication*] Tokyo: Yuhikaku.
>
> Haviland, W. A. (2000). *Anthropology*. 9th ed. Philadelphia: Harcourt College Publishers.

7　注の付け方

以前はページの下に注を示す脚注 (footnotes) が多かったが、最近は結論の後にまとめて示す後注 (endnotes) を用いる場合が多い。注はできるだけ簡潔に記し、あくまで読者が本文を読む上での補助的な役割を果たす

> （本文中）
>
> "Political correctness"[1] is the notion that people should not use words or language that could offend or hurt people who belong to minority cultures.
>
> （注）
>
> **Notes**
>
> [1] "Political correctness" is often referred to as "PC" in its abbreviation.

べきであることに心がけたい。注があまりにも多いと、読者は注に気をとられ過ぎて、本論での論旨の展開についていけなくなる危険性があるので注意したい。

前頁に例として示したのは、本文中における記載とその対応部分の注である。

8 補遺の示し方

本文中ではスペースの関係上記す余裕がない資料は、巻末に補遺・付録として記す。下記に示したように、モデル文では、図が補遺として示されている。

補遺の場合も、注と同様、本文中に補遺が示す内容に言及しなければならない。モデル文（次頁）では、本文中で "See Appendix A for more detailed information." として、詳しい情報に関してはAppendix Aを参照するよう明記している。

リサーチペーパーは、まず書こうとしているテーマについての先行研究を調べ、そこで見落とされている部分を発見することによって論文の意義を強調することから始まる。論文で述べる主張を決定した後は、その主張の正当性を証明するために、さまざまな客観的な資料やデータを提示して読者を説得することが求められている。リサーチペーパーは、極めて高度な批判的思考と認知能力を要求するものであり、その作成には根気と時間が必要であるが、同時に完成した時の達成感や充実感もひとしおであり、それはリサーチペーパーを書くという作業に取り組んだことのある者だけが得られるものである。

第8章　リサーチペーパーの書き方

（本文中）

　According to U.S. Federal Bureau of Investigation (2002), a total of 7,755 hate crimes took place in 1998 and the number of victims reached 9,722.... (**See Appendix A for more detailed information.**)

（補遺）

Appendix A

Table 1

Number of Incidents, Offenses, and Victims by Bias Motivation, 1998

	Incidents	Offenses	Victims[a]
Total	7,755	9,235	9,722
Single-Bias Incidents Race:	4,321	5,360	5,514
Religion:	1,390	1,475	1,720
Sexual Orientation:	1,260	1,439	1,488
Ethnicity/National Origin:	754	919	956
Disability:	25	27	27
Multiple-Bias Incidents[b]	5	15	17

[a] The term "victim" may refer to a person, business, institution, or a society as a whole.

[b] There were five multiple-bias incidents. Within these incidents, there were 15 offenses, 17 victims, and 14 known offenders.

Source: U.S. Federal Bureau of Investigation. *Hate Crime Statistics*. Retrieved October 4, 2002, from http://www.fbi.gov/ucr/98hate.pdf

英語で論文・レポートを書く時に役立つ参考書やウェブサイト

(1) 辞書

　辞書は論文執筆に際して欠かせない。従来の活字による辞書のほか、現在は電子辞書、CD-ROM など辞書の形態も多様化しているが、それぞれ長所と短所がある。活字による従来型の辞書は持ち運びに不便であるが、語彙のさまざまな意味や用例が一度に見られるという利点がある。一方、電子辞書は携帯に便利である反面、画面に表示される領域が狭かったり、限られた用例しか示されない場合もある。CD-ROM は持ち運びの心配がない代わりに、コンピュータにインストールしなければならないという点で手間がかかる。用途により、さまざまな形態の辞書を使いこなせると論文作成もスムーズに行うことができるだろう。

　以下に、論文を書く際に役に立つ辞典を紹介しておきたい。

① 英和辞典・和英辞典

　英語を母語としない多くの日本人学生にとって英和辞典と和英辞典は強力な助っ人となる。英和辞典及び和英辞典については、次の3点を網羅するような辞書が理想的である。

　A. 収録語数が多い。
　B. 用例としての例文の数が多い。
　C. 用法の注意事項が付記してある(類義語、誤用に関しての情報など)。

　辞書には、規模の上から見て、専門家向けの大辞典、学習者向けの学習辞典がある。

　留学を目指す学生や、英米文学、英語学、英米研究など「英語」そのものを専門とする学生は大辞典クラスの辞書を持っている方がよいだろう。大辞典の代表的なものは、『新英和大辞典　第6版』、『新和英大辞典　第5

版』(研究社)である。ほかには『ランダムハウス英和大辞典』(小学館)がある。

英語学習者向けの和英辞典では、例文の数が多く、類義語や誤用に関する情報など用法の注意事項が付記してあるという点で特に充実しているのが『スーパー・アンカー和英辞典』(学習研究社)と『プログレッシブ和英中辞典』(小学館)である。『フェイバリット和英辞典』(東京書籍)もお勧めできる和英辞典である。発信型辞典と銘打っているだけあり、英作文で注意すべき点をまとめた「英作文ノート」という囲み記事があり、重要な単語には「コロケーション」の説明もある。その他、日本のことを紹介する囲みが随所に入れられている『ルミナス和英辞典』(研究社)も発信型和英辞典を目指しており、訳語解説が特に充実している。用例はフルセンテンスで示され、用法については日本語と英語の意味のずれやコロケーションの説明など詳しい解説が付されている。

学習者向けの英和辞典としては、『LEXIS』(旺文社)がコーパスに基づく多彩な言語資料をよりどころとして、コミュニケーションを重視した用例と懇切丁寧な文法事項の説明を加えている点で、学習者にとってユーザー・フレンドリーな辞書となっている。また、『フェイバリット英和辞典』(東京書籍)もコミュニケーションを重視して会話例を豊富に収録しているほか、日英比較、文化、語法などのコラムが随所にあり、学習辞典として情報が満載である。『ルミナス英和辞典』(研究社)は、新語や新語義を積極的に取り入れ、充実した総収録語数(約10万)に特徴がある。コーパスやウェブサイトを参照して日常生活用語やIT関連の用語も取り入れており、学習者のみならず社会人も活用できる辞典となっている。

② **英英辞典**

日本語の枠にとらわれずに比較的自然に英文が書ける段階になると、英英辞典が是非とも必要となってくる。

英英辞典のバイブルのようなものは、*OED*(*Oxford English Dictionary*)であるが、数巻に及ぶ大規模な辞書なので手元に置くことはできない。

自宅に置くことができるサイズの辞典としては、*Merriam-Webster's*

Collegiate Dictionary（Merriam-Webster）, *Random House Webster's Unabridged Dictionary*（Random House）などがある。

学習者向けの英英辞典としては、*Oxford Student's Dictionary of English*（Oxford University Press）, *Longman Active Study*（Longman／桐原書店）などが挙げられる。

③ 類義語辞典

英語の文章の特徴は、同じ単語を繰り返して使わないということである。リサーチペーパー（第8章を参照）では特に同じ主張が何回も繰り返されるが、その際は別の表現を使って言い換えることが要求される。したがって類義語を使いこなすことが決め手となる。

類義語辞典としては、*Random House Roget's College Thesaurus*（Random House）, *Roget's International Thesaurus*（HarperCollins）が挙げられる。

④ 連語辞典

連語（collocation）とは、ある単語が他のどのような単語と結びついて使われるかという単語同士の結びつきのことをいう。このような単語同士の結びつきを解説した辞書としては、『新編英和活用大辞典』（研究社）、*The BBI Combinatory Dictionary of English*（John Benjamins）がお勧めである。

（2） 文法書

英文を書いていると、動詞の時制の使い分けやパンクチュエーションの使い方など、英文のスタイルに関してさまざまな問題に遭遇する。そのような時に助けになる文法書としては、*Hodges' Harbrace Handbook with InfoTrac*（Heinle）がある。この本は数十年にわたって、英語を母語とする学生にも愛用されてきた参考書であり、文法やパンクチュエーションなどの事項に関する詳しい解説がなされていると共に、練習問題が示されており、この本を活用した自習も可能である。

日本語で即座に特定の文法項目をチェックしたいという場合は、『オック

スフォード実例現代英語用法事典』(吉田正治訳、研究社)が便利である。これは Michael Swan による *Practical English Usage* (Oxford University Press) の翻訳本である。英語学習者が理解しにくい文法上の問題点が多数取りあげられており、学習者がおかしやすい誤用例も豊富に示されている。話しことばと書きことば、形式ばった表現とくだけた表現の区別も提示されており、語彙の学習にも役立つ。

　自習用の文法書としては、Longman から出版されている Azar シリーズが使いやすい。このシリーズはレベル別にそろっており、初級向けは *Basic English Grammar*, 中級向けは *Fundamentals of English Grammar*, 上級向けは *Understanding Using English Grammar* というタイトルになっている。翻訳版は、それぞれ『エイザーの基本英文法・初級編』(上・下巻)、『エイザーの基本英文法・中級編』(上・下巻)、『エイザーのわかって使える英文法』(上・下巻)としてピアソン・エデュケーションから出版されている。

　日本で出版されている定評のある文法書としては、『英文法解説』(江川泰一郎著、金子書房)及び『英文法総覧』(安井稔著、開拓社)が挙げられる。いずれも豊富な例文と詳しい解説が特徴となっている。

(3) インターネット上の便利なサイト

　インターネット上の便利なサイトとしては、以下のものがある。

● http://dictionary.cambridge.org/

Cambridge University Press が出版している *Cambridge International Dictionary of Phrasal Verbs, Cambridge Dictionary of American English* など数種類の辞書を同時に利用して単語の意味を検索できる。

● http://www.bartleby.com/

American Heritage Dictionary を利用して検索ができる。単語の意味だけでなく、語源も示され、また発音も音声で聞くことができる。

　このサイトでは、英英辞典だけでなく、百科事典(*Columbia Encyclopedia*)、類義語辞典(*Roget's II: The New Thesaurus*)、引用句辞典(*Columbia*

World of Quotations など)、及び文法書 (*The American Heritage Book of English Usage* など) など幅広くさまざまな資料を利用することができ、大変便利である。

- http://www.dictionary/com/

　英英辞典と類義語辞典のいずれかを選んで検索が行える。英英辞典としては、*The American Heritage Book of the English Language* を始めとして、*Webster's Revised Unabridged Dictionary, On-line Medical Dictionary* などさまざまな出典から語義を示してくれる。英語のほか、フランス語、ドイツ語、イタリア語などさまざまな言語の辞典も用意されている。

- http://www.m-w.com/

　英英辞典の *Merriam-Webster Dictionary* と類義語辞典の *Merriam-Webster Thesaurus* の2つを使って検索することができる。

- http://owl.English.purdue.edu/

　アメリカの大学では論述式のエッセイが頻繁に課される。このため、各大学とも学生のライティング能力を伸ばすために、writing laboratory あるいは writing center と呼ばれるサポートシステムを設置している。とりわけ、アメリカのパデュー大学 (Purdue University) はライティング教育が大変盛んで、この大学にある writing lab はきわめて充実しているとの評価が高い。このサイトを見るとアメリカの writing lab とはどのような役割を果たしているのかを知ることができる。また、ここではライティングの下準備・構成・執筆・推敲・完成などのプロセスを懇切丁寧に解説している。MLA スタイルや APA スタイルに関する記述も充実している。さらに、ライティングに役立つ資料を持つインターネット上のサイトも紹介されている。

- http://www.wc.iup.edu/resources/index.htm

　アメリカのペンシルバニア州立インディアナ大学 (Indiana University of Pennsylvania) の writing center のサイトである。パデュー大学のサイト同様、論文の書き方を題材の探し方から丁寧に解説している。誤りや

英語で論文・レポートを書く時に役立つ参考書やウェブサイト

すい文法事項についての説明もなされている。

　北米の大学の writing center/laboratory のサイトはどこもライティングに関して有益な情報をたくさん持っている。時間を見つけては、さまざまな大学のサイトを見て、役立ちそうなサイトの URL を控えておくとよいだろう。

解答・日本語訳

【Exercise，内容理解のために、解答】

第2章
Exercise 1（p. 25）
省略（各自取り組むこと）。

Exercise 2（p. 26）
1. gigantic > huge > big
2. microscopic > tiny > small
3. scorching > hot > warm
4. freezing > cold > cool
5. ear-splitting > loud > noisy
6. hushed > silent > quiet
7. fiery > bitter > angry
8. exalted > beaming > happy

Exercise 3（p. 26）
1. I have a lot of pretty small new colorful American plastic toys.
2. My mother bought me an ugly pink polyester blouse.
3. Mike showed me his expensive new yellow Italian car.
4. I met a girl with beautiful long blond hair.

第3章
Exercise 1（p. 31）
1. Mary divorced John last May. / Mary and John got divorced last May.
2. Many people say that I resemble my father.
3. We plan to leave Paris on May 10.
4. The teacher explained how to grade the students' papers.
5. I dreamed of my girlfriend every night.

Exercise 2（p. 33）
1. When I was six years old, my mother died leaving me behind.
2. Someone took Julie's passport on the plane. / Julie had her passport stolen on the plane.
3. I understood how sad she was when I saw her at her husband's funeral.

4. She was at a loss when her little baby cried all night long.
5. My father forced me to play the piano for eight hours every day in order to make me a pianist.

Exercise 3 (p. 35)
1. George went to Japan twice when he worked for ABC Japan.
2. Let's get together when your wife gets well.
3. Oh, I have a dentist's appointment tomorrow!
4. I forgot to turn off the TV before I went to work.
5. He belongs to the baseball club. He has more than four gloves.

Exercise 4 (p. 40)
1. seeing 2. to go 3. open (*or* should open) 4. not to attend
5. would not do 6. to bring

Exercise 5 (p. 42)
1. has 2. stands 3. has been 4. is 5. illustrates

Exercise 6 (p. 43)
1. Because I had three cups of coffee before going to bed last night, I was not able to sleep at all.
2. I missed the connecting flight in Amsterdam because the plane was delayed two hours by an accident. / The plane was delayed two hours by an accident, so I missed the connecting flight in Amsterdam.
3. Although I made every effort to participate in the Olympics, I was not chosen as a member of the team. / I made every effort to participate in the Olympics, but I was not chosen as a member of the team.

Exercise 7 (p. 45)
1. My mother does not know where my sister is.
2. New York is a metropolitan city which (*or* that) has a large number of immigrants from all over the world.
3. May 8th is the day which (*or* that) my company celebrates as the anniversary of its founding.
4. If I were a boy, I would become a pilot.

5. If he had not failed English, he could have graduated from university last year.

Exercise 8 (p. 47)

1. Living in the urban city has more advantages than living in the rural town. Urban cities such as Tokyo have efficient transportation systems and a variety of shops that accommodate their goods to the needs of customers. These advantages create a comfortable life style that is not possible in rural towns.
2. School uniforms are not necessary. Without school uniforms, students can better develop their individuality. Moreover, school uniforms are not sanitary. Because students seldom have more than one uniform, they cannot wash their uniform very often.

Exercise 9 (p. 48)

1. After rewriting the original draft several times, I finally submitted my paper to Prof. Jones yesterday.
2. My favorite department store is Simon's. Sales clerks at Simon's always wait on me very well.
3. Mary said to Jane, "My mother got involved in a traffic accident." / Mary said to Jane, "Your mother got involved in a traffic accident."

Exercise 10 (p. 51)

1. (1) A police officer practices martial arts so that he or she can fight against violent criminals.
   (2) A police officer practices martial arts to fight against violent criminals.
   (3) Police officers practice martial arts so that they can fight against violent criminals.
2. (1) Every student must submit his or her paper by December 10.
   (2) All students must submit their papers by December 10.
   (3) The paper is due on December 10 for every student.

Exercise 11 (p. 55)

1. As a result, Consequently
2. However
3. that is, namely

4. 1. First   2. while   3. Specifically   4. on the other hand
   5. In addition, Second   6. and   7. but, whereas   8. Although   9. that is
5. 1. but   2. First   3. therefore   4. also   5. because   6. Third
   7. Finally   8. so

Exercise 12 (p. 57)
1. them   2. They   3. her   4. She   5. We   6. I   7. its   8. It
9. me   10. she   11. she   12. You   13. you   14. you

Exercise 13 (p. 59)

Last summer I took part in the Study Abroad Program our school <u>offered</u> and went to Sasuqehanna University. I studied English at university in the morning and joined an excursion program in the afternoon. Mr. Williams taught us English. He <u>was</u> very kind and <u>encouraged</u> us to speak English when we <u>hesitated</u> to do so. In the afternoon, we went to a local museum and visited an Amish family. I stayed with an American family. My hostfather, John, <u>was</u> a police officer, and my hostmother, Mary, <u>was</u> a high school teacher. Mary <u>was</u> a good cook. She made a pancake for me, and I made *tonkatsu* for the family. I <u>was</u> very happy to find that they <u>liked</u> my *tonkatsu*. Staying in Sasuquehanna was a good experience for me, and this experience made me want to study English further.

第 4 章
Exercise (p. 78)
1. j-b-e-d-a-f-g-c-h-i   2. h-e-a-d-f-b-i-g-c   3. e-a-f-i-b-c-j-d-g-h

第 5 章
1 [内容理解のために] (p. 85)
(1) cold, unshining, sullen, expressionless, embarrased, uncomfortalbe
(2) bright, sparkling, genuine, secure, wonderful

2 [内容理解のために] (p. 90)
(1) 国会議事堂を出発点として、「西へ向かって」見渡す
(2) 建物の部屋の内部、通路など細部を描く「全体から部分へ」

Exercise（p. 92）
1. I was a guide, a pathfinder, an original settler.
2. George and Helen are in the park, walking in silence, dreaming of their future.
3. The room was empty, (with) its door left open.

3（1）[内容理解のために]（p. 95）
 II. B. オフィスビル　　D. 多くの人々
 III. C. 大規模な組織　　E. マスメディアへの依存　　H. 生産性と能率の重視
   I. 世界的な生産力

3（2）[内容理解のために]（p. 98）
《問題1》
 I. A. 他人とのゆるやかで一時的な関係　　B. 生まれや学校や職業による
   C. 範囲が狭い、一時的　　D. 無関心
 II. A. 自己主張が強い　　B. 類似点重視
   C. アメリカ人: 誇張表現、日本人: 自己卑下
III. A. 言葉の軽視　　B. 曖昧性重視　　C. 非言語重視　　D. 知性重視
《問題2》
1. temporary　　2. conciliatory　　3. inclusion　　4. differences
5. understatement　　6. self-depreciation　　7. skepticism　　8. ambiguity
9. nonverbal　　10. intuition

4 [内容理解のために]（p. 104）
《問題1》
　It is almost always assumed, for example, that foreigners have no comprehension of the Japanese language. This conviction extends to almost every aspect of daily contact with foreigners.（日本人は外国人は日本語ができるわけがないと考える。このことは、外国人との日常生活の接触のあらゆる面で見られる）
《問題2》
実例1: Not long ago two young women .... "*Gaijin yo!*" and the card was withdrawn.
実例2: Yesterday I had a similar experience. A woman .... I was glad that the other person (a Japanese) did not know the answer to her question.
実例3: People who give me their *meishi* .... It is tacitly assumed that every

解答・日本語訳

Japanese, regardless of age or profession, will know more than any foreigner.

5 [内容理解のために] (p. 108)
 II. A. キリスト教、ヒンズー教、イスラム教、ユダヤ教、神道など
   B. 仏教、儒教、ジャイナ教など
III. 2. a. エジプト、ギリシャ、ローマなどの国家宗教
   b. 儒教、神道、ヒンドゥー教、ユダヤ教など
IV. A. 1. 社会の安寧に貢献する 2. 迫害を受けやすい

Exercise (p. 111)
 I. 1. Countries in the Northern Hemisphere
   2. Countries in the Southern Hemisphere
 II. 1. English-speaking countries 2. Spanish-speaking countries
III. 1. Countries in the Northern Hemisphere
     A. English-speaking countries B. Spanish-speaking countries
   2. Countries in the Southern Hemisphere
     A. English-speaking countries B. Spanish-speaking countries

6 [内容理解のために] (p. 114)
1. Preventing the heat from leaving.
2. Glaciers are melting.
3. Weather patterns change.
4. Epidemics spread.

7 [内容理解のために] (p. 119)
《問題1》
 I. C. 1. showing the engagement ring
 II. A. Choosing the theme color C. ordering the wedding cake
III. B. Bridal or couple shower
IV. C. Reception

8 [内容理解のために]
例文A (p. 125)
 I. A. 1. 廃止はすばらしいことである 2. 廃止されると困ったことになる

B. 自分はコマーシャルの廃止には反対である
II. サポート: 短いコマーシャルでも多くの人が雇われている
　　サポート: たとえば俳優、女優、作家、プロデューサー、製品やセット担当の人
III. サポート: コマーシャルがなくなったら製品に対する知識を得ることができなくなる
　　サポート: 唯一その製品を知る方法は店でその製品を見るかどうかによる
IV. 第三の理由: 製品のコマーシャルだけでなく、もっと重要なことを伝えるコマーシャルの機能もあるから
　　サポート: 酒気帯び運転の怖さを伝えるコマーシャルが放送されている

例文 B（p. 128）
《問題 1》
II. ケーブルテレビ。しかし地域が限定され、有料なので×。
III. 視聴者支援によるテレビ局。しかし、巨大企業の意向は排除できるものではないので×。
IV. 政府の統制によるテレビ。しかし、言論の自由に反するので×。
《問題 2》
A が演繹法、B が帰納法。

第7章

Exercise（p. 196）

1.
[MLA]
Yule, George. <u>Explaining English Grammar</u>. Oxford: Oxford UP, 1998.
[APA]
Yule, G.（1998）. *Explaining English grammar*. Oxford: Oxford University Press.

2.
[MLA]
Cumming, Alister. "Fostering Writing Expertise in ESL Composition Instruction: Modeling and Evaluation." <u>Academic Writing in a Second Language: Essays on Research and Pedagogy</u>. Ed. Diane Belcher and George Braine. Norwood: Ablex, 1995. 375–397.
[APA]
Cumming, A.（1995）. Fostering writing expertise in ESL composition instruction: Modeling and evaluation. In D. Belcher & G. Braine（Eds.）, *Academic*

writing in a second language: Essays on research and pedagogy (pp. 375–397). Norwood: Ablex.

3.
[MLA]
Lyster, Roy, and Leila Ranta. "Corrective Feedback and Learner Uptake: Negotiation of Form in Communicative Classrooms." <u>Studies in Second Language Acquisition</u> 19 (1997): 37–66.
[APA]
Lyster, R., & Ranta, L. (1997). Corrective feedback and learner uptake: Negotiation of form in communicative classrooms. *Studies in Second Language Acquisition, 19*, 37–66.

【日本語訳】

第4章
[A] (p. 65)

テレビコマーシャルを廃止してはならない。我々は絶対的にテレビコマーシャルが必要である。シアーズカタログ以外では、テレビコマーシャルが真のアメリカの家庭を具現化している最後のものの1つであるのだ。これ以外どこに我々は、完全な形(すなわち、同性愛ではない夫婦、娘、息子、そして犬か猫がいる)をなした家庭そして幸せな楽しい人々を見出すことができようか。テレビのコマーシャルによって、我々は核による大量殺戮や汚染された水、そしてエイズの心配なしに日々生活している人々がいまだにいることがわかる。テレビコマーシャルは、明るい輝く台所やピシッときれいに仕上がった洗濯物、餌をもらうと楽しげにダンスをする猫に毎朝起きると対面する人々を見せてくれる。我々は常にコマーシャルの洪水の中にいるので、コマーシャルがテレビ番組を中断する、あるいは、我々の物欲を食い物にしていると文句は言うけれども、私は個人的にはコマーシャルがなくなったら寂しいと思うであろう。6時のニュースをつけて、我々の存在を消滅に導きかねない世界的破滅の恐れが高まっていくことを耳にする時、それを中断するコマーシャルが流れて、50歳でも30歳に見えることの喜びを語ってくれるのを私はありがたく思い、そして50歳まで生きられたらなあと思い、コマーシャルがもたらしてくれた50歳の生活の夢想にひたれることを感謝する。

コマーシャルは一緒に口ずさめるCMソングを与えてくれる。そういう歌があるため、国民の80%が "you deserve a bread today . . ." と歌え、国民全体の統合が図られているとも言える。番組の合間のコマーシャルの間にサンドイッチを作るこ

ともできる。恋人同士にとっては、コマーシャルの間に情熱的になれるので、番組中は自分たちが見ている映画に集中することができる。コマーシャルは我々に何か欲しいものを与えてくれる。新しい車、肉、コーヒーミル、シャンプーなど。それらは我々の中に物質主義を浸透させ、それがある程度国家として我々を統合していってくれているものでもある。

[**B**] (p. 66)
　今日ではたくさんのコマーシャルがある。1つの商品には2つ以上のコマーシャルがあるので、しつこいと思う人がいるかもしれないが、でも私はコマーシャルが好きである。極端なことを言うと、コマーシャルはその時代の象徴であると言える。なぜならコマーシャルは時々流行語を生み出し、コマーシャルによってそれぞれの時代においてどんなものやどんな人が人気があるか知ることができる。それから私は古いコマーシャルを特集した番組をしばしば見るが、それらを見ると古き良きコマーシャルをとてもよく覚えているものだと思う。もちろん、今すべてのコマーシャルを受け入れると言っているわけではない。ばかばかしくて鳥にでも食わした方がいいものもある。しかしながら、何年もたった後では、懐かしく感じるようになるかもしれない。しかし、私がテレビで映画を見ていて面白くなってきた時、コマーシャルが話を中断することがある。だからコマーシャルは邪魔である。これらのことを考えると、コマーシャルだけの放送局を作るとか、コマーシャル専用の番組を制作するのが一番いいように思える。

(p. 75)
　小さな町の雰囲気は都市に比べたらずっとくつろぐものである。ことに私の故郷の町、オカノガンと近隣のスポーケン市を比べたらそういうことが言える。まず、スポーケン市と比べるとオカノガンはずっと住んでいる人が少ない。人々はお互いに大変親切である。第2に、オカノガンの住人は日々ほとんどあわてることもなく生活しているが、一方スポーケンの人々は大きな問題があるようである。最後に、オカノガンは非常に静かで平和で美しいが、スポーケンは私には醜いゴッサムシティ(「バットマン」に出てくる架空の都市)を思い出させる。結論として、人は小さい町の方がよりくつろいで生活することができると言える。

第5章
「ティナ」(p. 83)
　私がティナに最初に会ったのは、風で芝生や歩道の雪が巻き上げられているある12月の寒い日であった。彼女はひとりで我々の学校のドアの内側に立っていた。細

解答・日本語訳

身で中背の女の子で、肩にかかった濃いブロンドの髪は洗髪や手入れを必要としていた。しかし私が最も注意を引かれたのは彼女の目であった。彼女の目は淡い青色で輝きがなく、沈んでいて感情がないようであった。

私は妊娠中の高校生たちのための特別クラスで英語を教えている。困惑を感じたり、不愉快な思いをしたり、軽蔑の目で見られたりするかもしれない通常の高校の授業に出る代わりに、彼女たちは私たち5人の女性が指導をするYMCAの地下の3教室に来ているのだ。

ティナは妊娠4ヶ月で、ちょうどお腹が目立ち始めてきた頃であった。「あなたがティナね」彼女に両手を差し出し歓迎しながら私は言った。「ええ」と彼女は答えた。彼女は私の方に手を伸ばしはしなかったが、私が彼女の手を取ることは拒まなかった。

彼女の手を取って導きながら、私は「ほかの女の子たちを紹介するわ」と言い、ちょうど最初の授業(育児)の教科書とノートを取り出そうとしているさまざまな妊娠段階のほかの12人の女の子たちの席へと連れて行った。紹介の後、私たちはティナに数冊の本と小冊子を与え、席に座らせて最初の授業の用意をさせた。彼女は笑いもせず楽しそうにも快適そうにも見えなかったが、パット・ピーターソンが教える育児の授業を多少は興味を持って聞いていた。

子供を自分で育てるかそれとも養子に出すか、これはTAPPの少女たちにとっては常に大きな、そして不変の問題である。私たちは、子供には父親と母親、そして安定した家庭生活が必要であると指摘して、養子に出すことをアドバイスするが、彼女たちはめったにそうしなかった。

ティナはほかの女の子たちとは異なっていた。1つには、私たちにはすぐにわかったのであるが、彼女は鋭い思考力を持っていた。彼女は勉強し、そして課題をいつも時間どおりに終わらせていた。彼女は歴史の問題にすばらしい答えを書き、英語の授業では見事な読書レポートを書き上げた。彼女は15歳で、弟、離婚した母、そして義父という家族構成であった。彼らが彼女に冷たくしているようには思えなかったが、彼女にさして注意を払っているようにも見えなかった。

ティナは5月の初めの時点では、子供を養子に出すか自分で育てるかという問題についてまだ決着をつけておらず、私たちは彼女が出産する前に決心させてあげようと必死であった。彼女は私たちの学校で5ヶ月間過ごし、その間ほかの女の子が経験した困難を見てきた。たとえば、病気の子、顔やお尻にひどい発疹ができた子、神経質ですぐ泣き出す子であった。

彼女はまた、さらなる教育がない限りどの女の子も本当によい仕事を得ることはできないことに気づいた。彼女は将来独立し、自立した生活を送りたいということが心の中でわかっていた。

出産の2週間前、ティナは教会の福祉関係者と会い、子供を養子に出すという約束をした。ほかの女の子たちは彼女に感心し、私たちは彼女をとても誉めた。
　1年たったある日、私はティナと地元の州立大学のキャンパスで会った。私は数冊の本を図書館に返しに行くところで、その時彼女が3人の友達と楽しそうに笑いながら話しているところを見かけた。私はそれがティナであるとすぐにはわからなかった。なぜなら彼女の表情は大変明るく、目は輝き、髪も整っていたからである。私は立ち止まり、彼女としばらく話した。彼女は私に友達を紹介してくれた。2人の女性と1人の男性であった。彼女は自分が成績優秀者のリストに載っていて、教育学を専攻していると話してくれた。そして教師になるつもりであると言った。私たちは過去については話さなかった。私はティナに、すばらしい教師になることでしょうと言った。「ありがとうございます!」彼女はそう言って私を抱きしめた。彼女の暖かさは疑いようもなく、彼女の笑顔は本物であり、彼女の未来は確固たるものであると思った。ティナが困難ではあるが正しい選択をしたことは、なんとすばらしいことであろうか!

「今日のワシントン」(p. 88)

　今日のワシントンは驚くべき変化と永続性を同時に持った都市である。連邦政府がこの都市の大部分を特徴づけている。この首都は過去の歴史の跡を色濃く残していると同時に、最新の流行の影響も強く受けている。実際、古典的な建物や古くからの記念碑が、常に変化を続けているこの大都市の中で息づいている。
　ワシントンを訪れる人々はこの町がさまざまな顔を持っていることをよく口にする。繁華街の商業地域から、現在はブティックや富豪の家々が立ち並ぶかつての18世紀の港まで——家々の密集する都市中心部から、木々の生い茂る公園や小道や空き地が何マイルも広がる地域まで——、わが国の首都は常に変化する外観と雰囲気を示している。
　キャピトル・ヒルはこの町を見渡すにはとても良い場所にある。国会議事堂の西正面の柱廊玄関に立つと、モール(公園)の広大な広がりに強い印象を受ける。議事堂からは、周りの風景を映し出す池に出ることができる。さらに西に行くと、画廊や美術館が立ち並び、そびえ立つワシントン・モニュメント、霊的なリンカーン・メモリアルが続き、さらにポトマック川の向こうにはバージニア州の林が広がっている。植民地時代にはジェンキンズ・ヒルとして知られていたが、今日のキャピトル・ヒルは我が国(アメリカ)の中心地であり、私たちの選出した議員たちが国民のために仕事を執り行うために集まる舞台である。
　夜になり照明が当てられると、国会議事堂はまばゆいまでの光景となる。おそらくワシントンを訪れる人々の中でも、この議事堂の丸屋根が19世紀の工学の粋を生

かした傑作であることを知っている人はごくわずかであろう。上院と上院の棟と2つの連続する丸屋根、及び1950年代後半に建造された東玄関は、大理石で覆われ、その下にある砂岩で作られた原型をほとんど隠してしまっている。

議事堂の内部には迷路のような通路と廊下で結ばれた豪華な部屋が連なっている。中央にある円形広間は、丸屋根の下に位置しているが、そこにはアメリカの初期の画家であるジョン・トランブルやその他の画家たちによって描かれた巨大な歴史的絵画が飾られている。ここには、アメリカの英雄たちが国旗で覆われた棺の中に横たわっている。たとえば、無名の戦士たちや、犠牲となって死んだ指導者であるリンカーン、ガーフィールド、マッキンリー、ケネディーなどだ。この円形広間の下の地下聖堂と呼ばれる場所は、初代大統領のジョージ・ワシントンの墓を覆う記念碑を建てることになっていた。

国会議員の事務所は国会議事堂の建物そのものとは離れた6つの堂々とした建物の中にある。19世紀の終わりに上院と下院はともに成長し、それぞれの活動のための建物が当然必要となったからである。上院議員会館は議事堂のちょうど北西に、下院議員会館はすぐ南に位置している。地下鉄がすべての建物を議事堂へと結んでいて、議員たちは下院と上院に即座に行くことができるようになっている。

「2つの都市の類似点について」(p.93)

遊牧生活に適した文化の型は数千年にわたり発展してきた。小さな村での生活に適した制度や慣習を完成するには数世紀もの年月が必要とされてきた。変化の速度、すなわち人間の柔軟性に対する挑戦の速度は、絶えず早まってきた。世界の変化は、もはや新しい社会の規範を作り出すために十分な時間を与えてくれるようなゆったりとした発達的な変化ではなく、急激な革命的な変化とも呼ぶべきものであり、人間がさまざまな営みを行う上での伝統的な方法に対して予期できないような挑戦を私たちに突然突きつけてきたのである。

このような急激な変化を典型的に示しているアメリカ合衆国と日本という2つの近代社会は、事例研究には役に立つ。両者ともこの新たな現実を実際に作り出す上で指導的な立場に立っているからである。この2つの国は多くの特徴を共有している。東京やニューヨークに着いてみると、物理的にはこの2つの都市にはほんのわずかな違いしか見られない。同じような高層建築物、同じようなオフィスビル、そして同じ映画が繁華街の映画館では上映されている。多くの人々が通りを埋め、バスや地下鉄を混雑させ、バーや喫茶店に群がり、同じような服を身にまとい、同じような締め切りに追われている。

この類似性は、日本の西洋化やアメリカの東洋化の結果というようなものではない。両者とも影響を受けているということはあるが、それは、この2つの国で近代

化が同じ経過をたどったからである。両国とも高度に工業化された国であり、技術革新を徹底的に行ってきた。両国とも多くの人口が巨大な都市に集中した人口密度の高い社会である。どちらの国においても、産業、金融、政府、研究教育、医学の分野における大規模な組織が社会を支配している。両国とも高度な専門性を育成している。両国とも情報と娯楽の供給をマスメディアに依存している。両国とも交通と通信に関して高度なシステムを使用している。両国とも資本主義経済と民主主義体制をとっている。両国とも大衆社会の会社の中で加速化するペースで働くことと、生産性や効率性を強調している。日本と合衆国は共に生産性に関しては他に匹敵する国がなく、両国が世界の自動車、コンピュータ、飛行機、船舶、ロボット、カメラ、部品の生産の大部分を担っている。（両国の）相違点に気を取られるのは簡単なことであるが、裏にある類似点を軽視すべきではない。

「人間関係: 日本とアメリカ」（p. 97）

　対人関係について、（日本と合衆国を観察した）多くの人々は2つの文化のスタイルには著しい違いがあると主張している。日本について書いている人は、家族、学校のクラス、職場での仲間や会社などの中心的なグループに対する強い絆を強調している。これに対して、アメリカ人は他者に対してもっとゆるやかで一時的な関係を維持しているように見られている。日本において最も重視される結びつきは、選択によるものというよりは生まれや学校や職業に由来するものであり、結婚も見合いによる比率がいまだに大きいままである。合衆国における人間関係は主に選択の問題であり、相手が何に興味を持っているかによって移り変わる。日本人の間では友情はより広範囲にわたる永続的なものであると報告されている。アメリカ人に関しては、友情はもっと範囲が狭く時間的にも限定されたものであり、一時的にテニスの相手や職場の同僚、写真の愛好者と付き合ったりするが、こうした人々と人生を全面的に共有しようとは思っていない。日本人は知らない人には無関心であると考えられているが、アメリカ人は見知らぬ人に対してより開放的に接し、疑うことをしない。

　両方の文化を観察した人は会話の仕方も異なっていると主張している。アメリカ人はよく自己主張が強いと言われ、日本人は融和的であると言われている。アメリカ人が排除のレトリックを好み相違点を強調するとすれば、日本人は包括のレトリックを好み視点の類似性を強調する。アメリカ人が誇張や自画自賛的な発言にふけりがちなのに対して、日本人は控えめな表現や自己を卑下する表現を用いる傾向にあると言われている。

　言語及び非言語コミュニケーションに関しても、文化的なスタイルの上でいくつかの相違があるように思われる。アメリカ人はことばの力や表現する上での雄弁さ

解答・日本語訳

をかなり尊重するのに対し、日本人はことばの持つ権威に対して非常に懐疑的態度を抱き、壮大な文言は事態を単純化し過ぎてしまうものとみなしている。明晰さが真実にいたる道であると考える文化があれば、あいまいさがより高度に磨かれている文化もある。アメリカ人が言語コード、すなわち何が言われたかを強調する一方、日本人は非言語コード、すなわち何が言われていないのかに信頼を置く。アメリカ人にとっては知性が理解を導く道具であるならば、日本人の間で重んじられているのは直感だとも言える。

「外人」（p. 102）

　日本人が親しい外国の友人を持つことは、2, 30 年前に比べるとそれほど珍しいことではなくなっている。そのような日本人にとって外国の友人は単なる「ガイジン」ではなく、名前や特有の美点や感情を持つ人なのである。彼らは、国籍は異なるものの、こうした友人は好意、寛大さ、そして尊敬に値することを知っている。しかしながらほとんどの日本人はこのような友人関係を発展させることはない。ことばの壁を越えられないと思う人もいれば、単に日常の出会いを越える機会を持たない人もいる。

　ほとんど常に考えられていることの一例として、外国人が日本語を理解できるはずがないという考えがあげられる。この確信は外国人との日々の接触のあらゆる場面にわたっている。私自身、このことについて毎日気づくこととなっている。公団住宅のチラシを配る若い男女は、私にはめったに配ることはない。受け取る人が日本語を読めようが読めなかろうが、彼らはなるべく早くチラシを配ってしまいたいと考えるのでは、と思う人もいるかもしれないが、彼らは良心的な日本人であるために、日本語を読めないような人のためにチラシを無駄にすることを望まないのである。それほど昔のことではないのだが、2 人の若い女性がそのようなチラシを東京の数寄屋橋で配っていた。彼女たちはお互いにおしゃべりをしており、誰がチラシを取るかということに注意を払っていなかった。そのうちの 1 人が私に対してチラシを差し出し、私がそれに手を伸ばして受け取ろうとした時、もう 1 人の方の女性が「ガイジンよ」と言うと、チラシは引っ込められたのであった。実際のところ私は公団住宅に対して興味を持っていないのであるが、だからと言って私以外のすべての人がチラシをもらうと、いくらか差別されたような気分になるのであった。

　私は昨日も似たような経験をした。ある女性が私に道を聞こうとしていたのだが、私の顔をよく見た瞬間、口を開けたまま質問を途中で止めたのであった。それはあたかも彼女が生命のない物体、もしくは猫や犬のような非人間生命に対して質問を投げかけていたことに気づいたかのようであった。本当のところ、私は彼女が聞こうとした質問の答えを知っていた。ここで私はあるジレンマに陥った。私は彼女の

「ゲーム」にしたがい日本語を理解できない外人の役割を演じるべきなのか、それとも彼女が将来外国人を人間のように扱うことになるよう皮肉をひとこと言うべきなのであろうか、と。しかし私がこれらの可能性についてあれこれ考えている間に、彼女はほかに尋ねる人を探し当てた。この人物（日本人）が彼女の質問の答えを知らないことが私にはうれしかった。

　外国人が日本語を学べるわけがないという思い込みはとても強力なため、私が日本語を40年も学んでいるということを知っている人でさえ、私が日本語を読み書きできることを信じない。たとえ彼らの名前が「タナカ　イチロウ」や「ヤマダ　マサオ」のように簡単に読める時ですら、私に名刺をくれる人々はしばしばローマ字で書かれた名刺を探すために5分間時間を取って財布の中を探す。昨年私は『百代の過客』という日本語の日記の研究を発表した。これが新聞で連載されている間、自分たちの恥を告白するかのように、いくつかの日記は聞いたことがないと私に知らせてくる人々がいた。あまり有名ではないので詳しく書かれた日本文学の辞書でさえ載せていないような日記を彼らが聞いたことがないのは当然のことである。私は日本文学の専門家であるからそれらのことばについて知っているのであり、彼らは専門家ではない（ので、知っているはずはないのである）。しかし日本語で書かれたもののことになると、いかなる外国人より、年齢や職業に関係なく、日本人の方がよりわかっているということが暗黙のうちに固定観念となっているのである。

「宗教の分類」（p. 106）

　「世界の宗教」が前世紀に学術研究の一分野になって以来、宗教研究者は世界中のさまざまな宗教を多様な異なる方法によって分類してきた。しかしながら、この間にも2,3の分類の方法が一般的になり、ここではそれらを紹介したいと思う。

　もっとも一般的な分類方法は、有神論か非有神論かというものであろう。有神論的宗教とは人間が関わりを持つ単数もしくは複数の神が存在する宗教である。この分類に含まれる宗教は、たとえばキリスト教、ヒンドゥー教、イスラム教、ユダヤ教、神道である。西洋出身の多くの人々はこの手の宗教は馴染み深いものであろうし、中にはこれが唯一の宗教形態であると誤解している人もいるであろう。一方、非有神論的宗教では、信仰の対象は多くの場合非人間的な形態の中に見出される。たとえば権力とか過程とか、真実の解放、生き方などである。この分類は仏教、儒教、ジャイナ教、そしてユダヤ教の人間的側面などを含む。また非有神論はしばしば非有神論的世界観を教える共産主義や人間主義のような疑似宗教をも含む。

　次なる主要な分類法としては、民族宗教か普遍宗教かということである。民族宗教は人々を祖先や文化によってまとめる。対照的に普遍宗教は血縁関係や文化といった事柄を越えて改心させることを求めており、宗教教義を基礎とした聖なる共

同体に人々を統合しようとする。民族宗教はさらに「単純」と「複雑」の2種に分類することができる。単純民族宗教とは主に読み書きのできない人々による原始的な宗教である。複雑民族宗教とはしばしば国家宗教であり、都市の中心部や読み書きのできる文化に見られる。いくつかの複雑民族宗教は現存しているが、それ以外はすでに存在しない。たとえばエジプト、ギリシャ、ローマ、そして南アメリカの古代都市文明の宗教はもはや存在しない。現存しているものとしては儒教、神道、ヒンドゥー教やユダヤ教がある。

　第3の主要な分類法として、既成宗教か新興宗教かというものがある。既成宗教とは長い間存続している宗教で、その宗教の創始者やその創始者と関係のあるすべての人が死んだ後も続いている宗教である。既成宗教はさらに「優勢派」と「少数派」の2種に分類することができる。優勢派の既成宗教は比較的規模が大きく、その社会の安寧に主要な役割を果たしている。少数派の既成宗教は権力や影響力において社会の端に位置しており、多くの場合迫害に苦しんでいる。それでもそれらは長い間存続し続けている。新興宗教はその創始者及び創始者と関係を持った人々が生きている間存続する。ある新興宗教が創始者とその最初からの弟子の寿命より長く存続してしまえば、その宗教はもはや「新興」とはみなされない。ほとんどの新興宗教は、その世代に影を落とす精神的虚無から逃避するための個人の救済を提供する。これらの宗教はたいてい救いの真理を啓示するカリスマ的指導者によって創始される。

　これらの分類方法は宗教を理解するのに役立つが、この分類に正確に当てはまる宗教はほとんどないことも事実である。たとえば、多くの有神論的宗教は、キリスト教徒が聖なる霊的な力を物体に帰するように、非有神論的側面も持ち合わせる。同時にほとんどの非有神論的宗教も、仏教において阿弥陀仏が神のように扱われるように、有神論的側面を含む。同じようなあいまいさは他の分類の中にも見られる。

「地球温暖化」（p. 112）

　20世紀は化石燃料の消費がエネルギー生産の支配的な方法となった時代であった。科学者たちが石油製品の過剰使用による影響の可能性を警告していたにもかかわらず、我々は21世紀においてそのような負の影響をじかに体験することになってしまったようだ。

　大都市において大気汚染がすでにかなり長い間深刻な問題になっているわけであるが、我々はより広範な思わぬ結果を経験しようとしている。それらは「地球温暖化」として知られる現象と関連しているものである。地球温暖化は大気中に炭素ガスが過剰にある時発生する。炭素ガスは太陽光線の熱を大気を通過させると同時に、地表から逃げることを妨げる働きをする。この効果は園芸の温室に見られるものと

似ているために、「温室効果」と呼ばれる。

　科学者は年々地球の平均気温が増加しているのは温室効果のためであると考えている。当初は多くの政治指導者はこの理論を否定していたが、温室効果の影響が増大している現代になって否定することが困難になってきた。最初の影響は最も明白である。平均気温が上昇するにつれて私たちはより温暖な季節を経験する。もちろん夏は多くの地域でより暑くなるわけであるが、変化はたいてい冬の方がより顕著である。それは毎年雪が降り凍えるような冬を経験していた多くの地域で、しばらく雪が見られないという現象が起きているからである。

　温暖化は南北半球の極でも顕著である。それらの地域では北極と南極の氷河が急速に溶け始めている。この融解はこれらの地域の生態系を崩してしまっているので、その地域に棲息する野生種に絶滅の危機をもたらし、そしてそれらの動物に依存している地元の人々の生活をも終焉させるのである。

　温暖化は世界の気候パターンの変化ももたらす。そのような変化は海流にも深く関係している。エル・ニーニョとして知られる太平洋における最近の海流の変化は、ある地域にはひどい干ばつをもたらし、別の地域には豪雨をもたらした。

　温暖化はまた通常なら冬の寒さのために死滅するバクテリアの死を妨げる。したがって伝染病の可能性は増大する。

　しかしながらいまだに世界の政治指導者、特に温室ガスを最も生産している国々の指導者の対応は鈍く、逆に、主にガスを生み出す大規模な産業の必要性について関心を示している。ただ彼らが手遅れにならないように祈るだけである。

「伝統的なアメリカ式結婚式」（p. 116）

　あるハンサムな男が自分の彼女に重要な用件を切り出し、そして彼女の答えが「イエス」であったら、そのすぐ後、この新しい婚約したカップルは結婚式の日のための準備を始めねばならない。細かい準備を十分に行うために、式の日取りは1年から1年半ほど後になることが多い。

　まず始めに、ふたりはどのような種類の結婚式をしたいかを話し合う。それはたとえば親族のみの式にするか、午後遅くあるいは夕方に行われる立食形式のセミフォーマルな結婚式にするか、または200人ほどの客を招いて夜に行われる、キャンドルライトサービスがある最も格式ばった結婚式にするかである。

　式をどこで行うかを決めることが次に大きな段階である。新婦の地元か、新郎の地元か、それとも現在彼らが住んでいるところか。故郷の教会にするにせよ、海辺や山頂の教会のようなありとあらゆる変わった場所にするにせよ、それはふたりの好み次第である。多くの披露宴会場と同じく、教会も1年前から金曜と土曜日（最も結婚式の人気がある日）は予約がいっぱいである。当然のことながら、教会での結婚

解答・日本語訳

式はたいてい結婚についての授業を受ける必要があるため、このことも予定に入れておかねばならない。

場所が決まった後、次の段階は婚約を発表し、そして友人や親戚に式に参加してもらうか、もしくは単に祝福してもらうかを頼むことである。これはまず婚約指輪を購入し、そしてそれで人々を驚かすことによって可能となる。ほかにこのすばらしいニュースを広めるためには、新郎新婦両方の地元の新聞に結婚の知らせを載せることである。そこには結婚式の場所と日時、両親の名前、ふたりの学歴、現住所と仕事先、そしてふたりの幸せそうな写真を載せるのである。

さていよいよ結婚式の詳細な計画を立てる忙しい日々である。次の手順のように進めよう。

まず結婚式のテーマとなる色を決める。この色は普通は新郎新婦自分たちの家のインテリアの色として選んだ色になる。このテーマ色は次のような段階でもたいていの場合用いられる。招待状やお礼状の色、披露宴の服や花や飾りの色など。最後に決めることは、オルガン奏者やソリストなど音楽の選択、ウェディングケーキの注文、そして参列者に渡される結婚式の式次第が書かれたパンフレットの作成である。

結婚式が近づけば楽しみも近づいてくる。細かい計画は1週間前や前日になって最後の修正が必要になるかもしれない。たとえば注文した品を取りに行ったり、届け物を受け取る人を手配することなどである。このころふたりは彼らのために用意された「シャワー」と呼ばれる特別なパーティーに出かける。最も特別なパーティーとは結婚式のリハーサルの後の夕食で、たいてい結婚式の前夜に行われる。その後新郎は独身の男たちのパーティーに引っ張っていかれるであろうが、そこでは皆たくさんの酒を飲み多くのことについて語りあう。

結婚式当日、人々は正装すると、お客が来るまで、奥の部屋や庭で記念写真をとる。その間、新郎の付き添い人（新郎の友人か、新郎新婦の男兄弟）が皆にどこに座るかを指示する。

そして式が始まる。まずオルガンが演奏されるか、ソリストが歌う。次にオルガンが結婚式の曲を奏で、全員が起立する。そして新婦の入場である。付き添い人が最初に歩き始め、その後父親と共に新婦が歩いてくる。新郎が通路を歩くことはない。彼はすでに祭壇の所におり新婦を待っているのである。司祭が結婚式を執り行い、新郎新婦は交互に「はい、誓います」と重要な誓いをたてるのである。

結婚式が終わり、ふたりが退場する時、参列者はふたりを抱きしめたり握手したりしてその幸せを祝福するのである。そしてその後披露宴が開かれ、だれもが食べたり飲んだりする。音楽やダンスが催されることもある。お客は新郎新婦に乾杯をし、ふたりにプレゼントを渡す。遠方にいる人々からの祝電が読まれる。披露宴が

終わりに近づくと、新婦は花束を宙に投げ、それを独身の女性たちがつかもうとする。その花束をつかんだ女性は次に結婚することになると信じられているのである。新郎は新婦から取り外したガーターで同様のことを行う。

結婚式の最後の段階は、新郎新婦が親戚と友達によって飾り付けられた車に乗って走り去ることである。その車に人々は米粒や花ふぶき、もしくは紙ふぶきをまき、安全な出発を祈る。ハネムーン先が次なる場所であるが、それはたいてい参列者には秘密にされる。こうして結婚式は完了するのである。

[A] (p. 124)

　テレビコマーシャルを完全に禁止してしまうかどうかを決定するには、2つのまったく異なる見解がある。ある人にとってはそれはすばらしいことであり、またある人にとってはこの世で最悪のことであるかもしれない。テレビコマーシャルに関わる仕事をしている人は明らかに仕事を失いたくないので、テレビコマーシャルが禁止されるのを見たくはないであろう。テレビを見る平均的な人々はテレビコマーシャルが禁止されるのを見たいと思うであろう。彼らにとってテレビコマーシャルは退屈なものであり、番組の中で多くの時間をとってしまうものである。私はというと、テレビコマーシャルが禁止されてほしくないと思う側のものである。

　第1に、もしテレビコマーシャルが廃止されたら仕事を失ってしまう人々に非常に同情を感じてしまう。たった2分くらいのテレビコマーシャルとはいえ、実際は多くの人を雇って作っているのである。俳優や女優、作家、プロデューサー、そして製品やセットを扱う多くの人々である。避けることができるなら、私はそうした人々が職を失うのを見たくはない。

　テレビコマーシャルが良いとするもう1つの理由は、コマーシャルにより我々は新しい製品や改良された製品についての知識を得ることができるということである。もし新商品が生み出されたとしてもコマーシャルが流されなかったら、その製品はまったく知られないままであろう。人々がその製品を知ることができるのは店でじかにその商品を見ることだけである。

　第3に、商品を広告しているコマーシャルだけでなく、他の重要なコマーシャルもある。飲酒運転の危険などを人々に気づかせているようなコマーシャルも今放映されている。こうした広告は一般の人々には大変有益である。

　結局、テレビコマーシャルを存続させることには多くの利点があるということである。情報量が多く、また必要性も高いのである。

解答・日本語訳

[B] (p. 126)

　私はテレビコマーシャルが大好きでもないし、また好ましくも思っていない。しかしながら、なぜそのようなものがあるかはわかる。ある商品を宣伝することで我々が見る番組の制作費が支払われるのである。私が知っている限り、商業テレビに代わるものとして2つの方法がある。1つはケーブル、つまり有料テレビであり、もう1つは視聴者支援によるテレビ局である。

　ケーブルテレビは商業テレビと同じようなタイプの番組を取り上げるが、ケーブルの工事費のほかに月々の料金を必要とする。

　視聴者支援テレビも商業テレビと同じような番組を組むが、その質はより高いものである傾向がある。それは主に、視聴者はより慎重に番組を選ぶし、それに視聴者の払ったお金と私企業の複合企業体からの資金が番組を牛耳っているのであるから。巨大企業からの資金により番組編成に課せられた規制は民間の人々が見たいと思っているものを制限するものではない。視聴者支援のテレビ局にお金を寄付しないからといってその人がその番組を見られなくなるわけではないが、しかし、番組を選択する自由をまったく失ってしまうという危険は常にある（我々があまりにもしばしば気づかされるように）。

　とすれば、選択肢としては直接お金を払うか間接的に払うかということである。現金をすぐに用意できないような人は、ケーブルテレビという選択肢は消える。そして、倫理的には視聴者支援のテレビもである。いまだ実行されていない唯一残った選択肢としては国家により投資を受けたテレビである。これなら我々がコマーシャルを見ることもなく、月々の支払いもなく、また番組をサポートするようにと（経済的にも倫理的にも）懇願されずにすむかもしれない。しかしながら、政府により運営されたテレビ局などというものを考えると寒気を感ずる。私は言論の自由、芸術的表現の自由、そして部分を寄せ集めたものより大きな（そしてより恐ろしい）全体の操作というものを恐れる。

　この問題の答えは「ノー」である。私はテレビコマーシャルが完全に禁止されるべきでないと考える。しかし、私はテレビコマーシャルがもう少し品良く、そしてアメリカの大衆の知性のためにもう少し配慮して作られてほしいと思う。私は名声ある会社がくだらない番組に名前を貸し、消費者はその会社の製品にお金を出しているのに驚く。それは言わば悪の循環なのだけれど、私の両親がいつも言うように、これでもましなのかもしれない。

第6章

「コロラド山地でのキャンプ」(p. 155)

　ヘレンとジャックは2人の子どもを連れてキャンプ休暇に行く用意をして、車に

荷物を積み込んだりで忙しくしていた。彼らはミネソタ州からコロラドの高地まで2日かけてドライブすることになっていた。ヘレンはお皿や食べ物、そして洋服を用意していた。ジャックは魚釣りの道具を入れ、車の調子を確かめ、フロント座席の前の小さなケースの中にたくさんの地図やキャンプに関する情報を入れていた。

　すべての準備が整い、興奮のためかあまり眠られぬ一夜を過ごした後、朝早く出発した。ヘレンは途中車の中で2人の小学生の子どもが面白がってするようなものを計画してあった。1つはアルファベットゲームであり、それは道路沿いの看板からアルファベットの文字を探すものである。彼らはまたキャンプの歌を歌い、しきりにお菓子を食べたり飲み物を飲んだりした。

　2日目の正午ごろ、前方にロッキー山脈の稜線が見えてきた。頂上には雪があった。午後遅くにはキャンプ地を見つけた。それは小さな川沿いの草地であり、それは国立森林キャンプ場の中にあった。それぞれのキャンプ場所は小さな松の並木で仕切られ、岩で仕切られたキャンプファイア用の場所もあった。子どもたちはすぐそばで自分たちが投げたパンくずを喜んで食べるジリスやシマリスなどの小さな動物を見た。ヘレンがキャンプ用コンロの上で、夕飯をこしらえた後、まわりの森から拾ってきた木で焚き火をした。他のキャンパーたちも彼らと話に来て、ほどなく彼らは昔からの知り合いのように隣人たちと話をしていた。

　テントの中で寝るのはいつも楽しいものだった！　彼らは寝袋に入って、動物や、松の木の間を吹く風、カエルの泣き声など森の音に耳を澄まし、そしてすぐに眠ってしまった。父母とともに体験した高地の涼しい山の中でのキャンプは、子どもたちにとっては一番素晴らしい夏休みであった。

第2原稿（p. 169）

　今日は学校のマラソン大会が開かれます。走者は各クラスから選ばれた10人です。その学校は男子校です。2人の若い先生がスタート地点でルールを説明していると、一番背の高い少年が隣の少年に言います。「君は絶対に大会には勝てないよ。だって、君は一番背が低いし、僕ほど強くないからね。僕が優勝するんだよ！」

　山から太陽が昇る頃、選手たちは位置につきます。スタートするとすぐ、一番背が高い少年がみんなの先頭に立ちます。彼はとても早く走るので、数分もすると誰も見えなくなります。

　（先頭の）位置を3時間維持していると、ある考えが彼の心に浮かびます。「ぼくより早く走れる者はいないよ！　僕の後ろには誰も見えない。こんな小さな大会に勝つのはとてもたやすいことだ。だから、次の選手が見えてくるまで、たっぷりと休息する時間はあるな。そうだ、居眠りができる！」そして彼は走るのをやめて、コースに沿って続く草むらに入ります。彼は木の下に座り眠りこみます。太陽が彼を気持

ちょくを暖かくしてくれます。

　目がさめると、彼はあたりの光景を見て思わず叫びます。「ああ、信じられない！」残りの少年たちはみんな彼よりずっと先を走っています。そうです。彼は寝過ぎたのです！

　彼はあわてて（走り）始めます。彼はできるだけ速く走ります。しかし、彼でも、みんなに追いつくのは難しいのです。太陽が西の山に沈む頃、背の一番小さい少年が勝利のテープを切ります。

第2原稿（p. 171）

　私の意見では、都会には住むことには多くの問題があるので田舎に住む方がよいと思います。問題とは、たとえば、化学物質による大気汚染や水質汚染などです。これらは私たちの健康にとって有害です。私は喘息や気管支炎を患っている多くの人々を知っています。私はまた都会は非常に騒々しいと思います。しかし、この「騒音」は自然のもの（動物や鳥など）によって起こされる音ではなく、車、バス、トラックやパチンコ店から起こる音です。一方、田舎はとても静かで平和です。私の祖母は現在熊本に住んでいますが、緑が多く、鳥の鳴き声を聞くことができ、また美しい空を見ることができます（多くの星が美しく輝いています）。

　最近は、以前より簡単にまた早く都会に行けるようになりました。私の高校の先生は茨城に住んでいますが、彼女は毎日1時間で特急を使い学校に通勤しています。ますます多くの会社や工場が都会を出て田舎に移りつつあります。大きなショッピングセンターも田舎にできてきました。したがって、田舎に住むことは困難なことではありません。

　最後に、私は田舎に住んで、鳥の声を聞きながら残りの人生を楽しみたいです。しかし、近年、多くの環境問題が発生しています。私たちは私たちの地球にもっと気を配り自然を維持するように努力しなければならないと思います。

第7章

p. 175

　スピーキングとライティングの根本的な違いは、ライティングはその多くの部分が状況に依存していないということのように思われる。すなわち、ライティングには、口頭でメッセージを伝える時には得ることのできる（相手からの）反応といったものがない。話し手と聞き手の関係が共通の知識に基づいているのに対して、書き手と読み手の間で共有されている知識は一般に未知のものである。こうした理由により、ライティングはスピーキングより難しいと考えられている。

p.203

　この研究の目的は日本のESL（英語を第2言語として学ぶ）の大学生が、6コマの絵をもとに書いた物語文の原稿をより良いものとするために行った推敲作業を分析することである。この研究は、学生が書いた最終的な作文の質が、彼らの行ったさまざまな推敲作業とどのように関わっているのかを調べることを意図している。それらの推敲作業とは推敲の頻度、種類（成功したもの及び不成功に終わったもの）、統語レベル、処理操作、及び内容の発展を含むものである。

　スドルは「たいていの作文の教師には...学生にレポートを推敲するように導くために費やす10分間は、教室での活動や採点に費やす数時間よりはるかに貴重である」(p.4)と主張している。この主張はプロセス・ライティングの立場からライティングをとらえるすべての作文の教師が熱狂的に歓迎した考え方である。

　エミッグの独創的な研究に始まり、英語を第1言語（L1）とする作文の分野の研究者や教師たちは、書かれた作品としての作文（プロダクト）から書く過程（プロセス）に視点を移し、同時に推敲というプロセスに大いに注目するようになってきた。しかしながら、第2言語（L2）による書き手、より特定化して言えば、英語を第2言語（ESL）とする、あるいは外国語（EFL）とする書き手による作文の過程についての研究はようやく現れ始めたばかりである。ESL及びEFLの分野に携わっている研究者の中にはこのような状況を嘆き、「ESLの学生の書く過程についての研究はほとんどなきに等しい」（ザメルp.196）、あるいは「第2言語によるライティングの研究は悲しいほどに欠如している」（クラシェンp.41）と述べている。

第8章

p.209

　この論文の目的は「ポリティカル・コレクトネス（政治的公正）」という考え方の由来を説明し、人々はなぜポリティカル・コレクトネスに反することばをしばしば使ってしまうのかその理由を調べ、ことばによる差別という問題を軽減するためのいくつかの方法を提案することである。本稿ではまず「政治的に公正な」ことばとは何であるかを定義し、「ポリティカル・コレクトネス」という考え方はどこで始まったのかを探っている。そして私たちはなぜ少数派の文化に属する人々の気分を害したり傷つけることばを使ってしまうのかその理由を5つ指摘している。第1の理由は自民族優越主義に関係しており、その考え方に陥ると、私たちは自分の民族的・文化的集団が最高のものであると根拠なく思ってしまう。第2の理由は「思想上の結びつき」に関係しており、これは自分と同じ思想を共有しない人々を部外者として排除してしまうというものである。第3の理由は、私たちは正しいことばづかいに過敏になると、時々不適切なことばを発してしまうということである。第4

の理由は、私たちは1人でいる時より集団でいると自らの無作法に対してより寛大になるという心理的傾向に由来する。最後の理由は政治的に公正なことばとそうでないことばの間に線を引くことは難しいということである。最後に、本稿は、私たちが少数派の人々に対する言語上の差別という落とし穴に陥らないようにするために求められているのは、人種、民族及び文化の多様性を受け入れかつ尊重することであると提言している。こうした多様性を認めることによって、私たちは自分たちの集団に属していない人々に対してステレオタイプや偏見を抱くことのないようにすることができるのである。

p. 211

「ことばは極めて大きな力を持っている」とサイラーとビールは述べている（2002年, p. 85）。私たちはことばによって感情を表現し、ことばによって情報を交換し、ことばによってお互いにコミュニケーションをしている。

しかし、私たちが毎日使っていることばは、自分自身がそれとは気づかぬうちに差別的になりうる。私たちの中には、否定的な意味に気づかずに "blind" という単語を使ってしまっている人もいるかもしれない。また、「本当？　彼女は女なのにパイロットなのかい？」というような発言をしてしまうこともあるが、こうした発言はある人々にとっては侮辱的であるかもしれない。悪意の程度が重大であろうとなかろうと、差別的であると見なされることばの使い方は数多く存在している。

私たちの中には、ことばは単に単語から成り立っていて害を及ぼすようなものであるはずがないと思っている人もいるが、しかしこうした考えは正しくない。政治的に公正さを欠くことばや単語は人々を不快にさせ、対立や、ヘイト・クライム（憎悪による犯罪）にさえ発展してしまうことがある。

米国連邦捜査局(2002年)によれば、1998年には合計7755件の憎悪による犯罪が発生し、犠牲者の数は9722人に達した。さらに連邦捜査局は、犠牲者の多くは人種による差別にあったものであると報告している。この範疇に属する犠牲者は5514人にのぼり、この数字は憎悪に基づく犯罪による犠牲者総数の57%を占めている。人種差別による犠牲者に続くのは、宗教による差別と性的志向による差別の犠牲者である（より詳しい情報については巻末の補遺1を参照）。これらの統計的数字は、憎悪による犯罪はたいてい身体に対する攻撃ではなく、すなわちことばによる攻撃であるにもかかわらず、多くの人々がこうした差別や憎悪による犯罪で傷つけられているということを示している。

「ポリティカル・コレクトネス」とは少数派に属する人々を不快にさせたり傷つけるような単語やことばを使ってはいけないとする考え方である。こうした考え方は、90年代以来米国の多くの人々の興味と関心を引いてきているが、その90年代に「ポ

リティカル・コレクトネス」ということばは一般に普及してきた(シエーラ、2002年)。1933年にビアードとサーフによる『公式版　政治的に公正な辞書及びハンドブック』が出版されると、一般大衆もこの問題に大変興味を持つようになった。この本には、"Hispanic" 対 "Latino-American" というように、政治的に「正しくない」単語とそれに対応する「正しい」単語が記載されている。

　これまで日本でも幾冊かの本や論文がポリティカル・コレクトネスという概念を日本の読者に紹介し、米国でこの考え方がどのように実行されかつ議論されてきたかを解説してきた(たとえば、宇川、1994年; ザック、1995年)。しかし、日本は米国に比べると人種、民族、文化及び宗教における多様性に乏しいので、過去数十年の間、ことばによる差別に抗議する運動に対して十分な注意が払われてこなかった。今こそ、日本人も少数派を標的としたことばによる差別の危険性に気づくべきである。なぜなら、日本は急激な社会変化に直面しており、多くの外国人が日本にやって来て少数派の文化集団を形成しているからである。ポリティカル・コレクトネスという概念をよりよく理解することによって、私たちは米国で見られたような憎悪による犯罪を犯すという落とし穴に陥らずにすむことができるのである。

　本稿は「ポリティカル・コレクトネス」と呼ばれることばによる差別に対抗する運動を調査するものである。この論文では、まずポリティカル・コレクトネスとはどのようなものであり、いつどこで始まったのかを詳細に解説する。そしてなぜ人々は政治的に公正さを欠くことばや単語を使うことによって他の人々を不快にさせ続けるのかについて論じる。最後に、政治的な不公正の問題に対するいくつかの解決案を提示する。

p. 222

　本論文ではポリティカル・コレクトネスという概念を探ったが、まずその定義と由来を調べ、次いでなぜ少数派に対してことばによる差別をしてしまうのかその理由を論じた。最後に、この差別的なことばの使い方という問題を解決するためのいくつかの可能な案を提示した。

　ポリティカル・コレクトネスはことばの使い方による差別である。「ポリティカル・コレクトネス」という語句は、ソビエトの指導者であったジョセフ・スターリンがスターリン憲法と呼ばれる差別に反対する憲法を創った時代に最初に使われた用語である。ポリティカル・コレクトネスという概念は65年以上にわたり知られているが、人々はいまだに毎日この概念に反することばや単語を使っている。それにはおそらくいくつかの理由がある。自民族優越主義や思想上の結びつきといった人間の特性や心理過程、禁断の木の実症候群などの人間の心理、そしてポリティカル・コレクトネスという概念の本質における曖昧性——私たちは法律によってこの

解答・日本語訳

概念を守るわけにもいかず、またいったいどういったことばや単語が道徳的に正しくないと見なされうるのかを決めるにあたっても混乱しがちである。政治的な不公正に打ち勝つための最も有効な方法の1つは、人々を、特に子供を教育することによって、異なるものの見方、価値観、そして考え方を理解させ、受容させることである。

今日、私たちは高度に発達した医療技術、交通、通信網に恵まれ、さまざまな文化に属する人々と交流する機会を持っている。このような複雑な世界の中で、私たちは差別という問題を抱えている。他の人々を理解することは決してやさしいことではない。自分たちとは異なる文化出身の人々へのステレオタイプの見方や偏見を減らすために、私たちは人種的、民族的、文化的多様性を認めるようにより一層努力すべきである。現状を改善するための、本論で提示された以外の方法を模索するために、さらなる今後の研究が望まれる。

参考文献

第 1 章

楳垣実. (1994).『日英比較語学入門』東京: 大修館書店.
沖原勝昭(編). (1985).『英語のライティング』東京: 大修館書店.
尚学図書(編). (1988).『国語大辞典』東京: 小学館.
松村明(編). (1999).『大辞林』東京: 三省堂.
Corbett, E.P.J. (1987). *The little English handbook.* Glenview, IL: Scott, Foreman and Company.
Random House (Ed.). (1998). *Random House Webster's Unabridged Dictionary* (2nd ed.). New York: Random House.

第 2 章

朝尾幸次郎. (1986).『英語の演習 (3) 語彙・表現』東京: 大修館書店.
Fromkin, V., & Rodman, R. (1978). *An introduction to language.* New York: Holt, Rinehart and Winston.
McCarthy, M. (1990). *Vocabulary.* Oxford: Oxford University Press.
Nation, I.S.P. (1990). *Teaching and learning vocabulary.* Boston: Heinle.
Swales, J. & Feak, S. (1994). *Academic Writing for Graduate Students.* Ann Arbor: The University of Michigan Press.
Winterowd, W. R. (1981). *The contemporary writer.* New York: Harcourt Brace Jovanovich.

第 3 章

磯貝友子. (1998).『アカデミックライティング入門』東京: 慶應義塾大学出版会.
藤田直也. (2000).『日本語文法　学習者によくわかる教え方——10 の基本』東京: アルク.
松井恵美. (1979).『英作文における日本人的誤り』東京: 大修館書店.
森田良行. (1999).『日本人の発想、日本語の表現』東京: 中央公論新社.
Costello, J. (1987). Treasures. In A. Raimes (Ed.), *Exploring through writing* (pp. 212–213). New York: St. Martin's Press.
Hall, E. (1976). *Beyond culture.* New York: Doubleday.
Oi, K. (1999). A note of Japanese students' preference for the first person per-

spective in writing in English, Writings in the English Language Classroom, *Tokai University Foreign Language Center, Monograph Series, 3*, 37–47.

第 4 章

Bereiter, C. & Scardamalia, M. (1987). *The psychology of written composition.* Hillsdale, NJ: L. Erlbaum.

Kamimura, T. & Oi, K. (2001). The effect of differences in point of view on the story production of Japanese EFL students. *Foreign Language Annals, 34*(2), 118–129.

Kaplan, R. (1966). Cultural thought patterns in inter-cultural education. *Language Learning, 16*, 1–20.

第 5 章

Barnlund, D. C. (1989). *Communicative styles of Japanese and Americans.* Belmont, CA: Wadsworth.

Keene, D. (1987). *Living in two cultures.* Tokyo: Asahi Press.

Striner, R. (1986). Washington present: Our nation's capital today. In United States Capitol Historical Society (Ed.), *Washington past and present* (pp. 54–135). Washington, DC: United States Capitol Historical Society.

第 6 章

Cambridge Scientific Abstracts (Ed.). (2002). *LLBA: Linguistics and Language Behavior Abstracts, 36*(2), 532.

Gibaldi, J. (2003). *MLA handbook for writers of research papers* (6th ed.). New York: The Modern Language Association of America.

Hartwell, P. (1982). *Open to language.* New York: Oxford University Press.

Heaton, J. B. (1966). *Composition through pictures.* Harlow: Longman.

第 7 章

ジョゼフ・ジバルディ(著), 原田敬一(監修), 原田譲治(訳編). (2002). 『MLA 英語論文の手引』(第 5 版). 東京: 北星堂書店.

American Psychological Association. (2001). *Publication manual of the American Psychological Association* (5th ed.). Washington, DC: American Psychological Association.

Gibaldi, J. (2003). *MLA handbook for writers of research papers* (6th ed.). New York: The Modern Language Association of America.

Glenn, C., Miller, R. K., Webb, S. S., & Gray, L. (2003). *Hodges' Harbrace Handbook with InfoTrac*. New York: Heinle.

Scott, V. M. (1996). *Rethinking Foreign Language Writing*. Boston, MA: Heinle & Heinle.

第 8 章

Bloomfield, A. (1988). *The great unknown*. Tokyo: Macmillan Language House.

Houck, C. (1989). How to beat a bad mood. *Reader's Digest*, July 1989, pp. 34–36.

Kaplan, R. (1989). New look at an old revolution. *Reader's Digest*, July 1989, pp. 98–103.

Markstein, L., & Hirasawa, L. (1981). *Developing reading skills*. Rowley, MA: Newbury House.

Tanikawa, S., Odajima, Y., & Takahashi, Y. (1985). *Words in transit*. Tokyo: Taishukan-shoten.

著者紹介
上村妙子(かみむら　たえこ)
　聖心女子大学文学部外国語外国文学科英語英文学専攻卒業、ペンシルバニア州立インディアナ大学博士課程修了。Ph.D. in English (Rhetoric and Linguistics)。明海大学外国語学部専任講師を経て、現在専修大学文学部教授。著書に『カプセル英文法』(三修社)、共著に『英語コミュニケーションの理論と実際』(桐原書店)、『Writing Power』(研究社)などがある。専門は応用言語学、ライティング教育。

大井恭子(おおい　きょうこ)
　東京大学文学部英語英米文学科卒業、ニューヨーク州立大学ストーニー・ブルック校大学院言語学科博士課程修了。文学博士(応用言語学・英語教授法)。東洋英和女学院大学教授などを経て、現在千葉大学教育学部教授。著書に『「英語モード」でライティング』(講談社インターナショナル)、『コンピューター対応 TOEFL テスト ライティング完全制覇』(三修社)、共著に『Writing Power』(研究社)などがある。専門は英語科教育、ライティング教育。

英語論文・レポートの書き方

2004年2月28日　初版発行	2018年10月26日　13刷発行	
著　者	上村　妙子 大井　恭子	KENKYUSHA 〈検印省略〉
発行者	関戸　雅男	
印刷所	研究社印刷株式会社	

発行所　株式会社　研究社
http://www.kenkyusha.co.jp

〒102-8152
東京都千代田区富士見 2-11-3
電話 (編集) 03 (3288) 7711 (代)
　　 (営業) 03 (3288) 7777 (代)
振替 00150-9-26710

表紙・扉デザイン：吉崎克美
©2004 Taeko Kamimura and Kyoko Oi
ISBN 978-4-327-45173-8　C1082　　　Printed in Japan